ASCII STARTUP

オープン
イノベーション
担当者が
最初に読む本

外部を活用して成果を生み出すための
手引きと実践ガイド

羽山友治 著
Tomoharu Hayama

ASCII STARTUP 編

ASCII

オープンイノベーションが
成功するかしないか。
その答えは、すでに世界で
調べ尽くされている。

あなたは、「オープンイノベーション」を きちんと定義づけて説明できますか?

そもそも、オープンイノベーションという言葉自体、

よくわかっていない方も多いのではないでしょうか。

それは一言で言えば、「外部活用」となります。

そしてまた、経営や事業でのイノベーションを

生み出すために欠かせない要素でもあります。

ただし、世間で言われるオープンイノベーションは

外部活用を超え、分散化されたプロセスそのもの、

エコシステムやコミュニティーのようなものを

広く含んだ言葉になっています。

いわゆるオープンイノベーション2.0と

呼ばれるものも含まれます。

ですが本書では、あくまで1.0が基本にあると考えており、

大企業のような自らが属する組織の立場から見た

「外部を活用するという考え方」という

定義を採用しています。

基本があっての応用であり、オープンイノベーション入門
としての本書が必要な背景もここにあります。

著者はこれまで、複数メーカーでの研究や製品開発に加え、
民間および公的な仲介業者における技術探索活動や、
メーカーでのオープンイノベーション活動に従事してきました。

戦略策定者・仲介業者・現場担当者それぞれの立場から、
「オープンイノベーションとは何か?」という疑問に対して
ずっと考えてきた問題意識がありました。

その答えが、

本書でパートナー探索を行う

機能部門として定義した

「オープンイノベーションチーム」です。

この「協業パートナーを探索する機能部門」としての位置づけは、

著者としての現状の日本における

オープンイノベーションの状況への返答となります。

チームを定義することは、
組織における位置づけと機能の明確化、
ひいては組織内部と外部の適切な役割分担につながります。

また本書でお伝えする内容は、
チームありきというわけでもありません。
一人のオープンイノベーション担当者が
最初に読む本として、基本はもとより、
実務に落とし込めるような解説をしています。

成果を生み出すために必要なツールとして、
ぜひ本書を活用してください。

本書で解決できる課題

著者自身がセミナー等で聞かれる質問を中心に、解決できる課題の一例と本書での言及箇所をまとめました。

Q 新規事業開発を実施する中で**オープンイノベーション**を活用しようとしたが、**社内で受け入れられなかった。**問題はどこにあった？

A 関係者の間で協業パートナーが必要との認識がなかったのではないか？社内**ニーズがないオープンイノベーション活動の実現は難易度が高い。**「WFGMモデル」で探索ニーズを集めて対応していけば、そのような問題は起こらないと考えられる。

> 詳しくは➡2章：オープンイノベーション活動のプロセス（P.48）

Q オープンイノベーション担当者は、**どのようなニーズに対応すべきか？**

A 特に初期の段階では、すべてのニーズに対応はできない。あくまで**"社内キーパーソンのニーズ"に対応すべき。**

> 詳しくは➡4章：支援対象組織（P.71）

Q 人的リソースが掛かるオープンイノベーションチームを**社内で立ち上げることへの理解が得られない。**

A 難しければ最初は**兼務でもよい。1人だけでも**ニーズ対応業務は**実行できる。**

> 詳しくは➡2章：オープンイノベーション活動の推進（P.51）

Q 「オープンイノベーションチーム」と「**新規事業チーム**」との**役割分担**をどのように考えればよいか?

A 新規事業チームがオープンイノベーションチームの役割まで果たそうとすると負担が掛かる。よって**あくまで機能部門として独立させたほうがよい。**

詳しくは➡はじめに:オープンイノベーションチームの位置づけ(P.16)

Q オープンイノベーションとは、大企業が**ベンチャー・スタートアップ企業と協業すること**ではないのか?

A 協業パートナーは、ベンチャー・スタートアップ企業に限らない。アカデミアの研究者や中小企業を含めて、**社外のあらゆる個人・組織が対象となる。**

また、新規事業開発に限らず既存事業での生産性向上などにも活用できる。この点を正確に捉えていないと、オープンイノベーションのポテンシャルを最大限に活かせない。

詳しくは➡2章:オープンイノベーション活動の目的(P.45)

Q オープンイノベーションチームの業務は、**協業パートナーの探索以外にないのか?**

A 探索ニーズには**プロジェクトレベルと戦略レベルの2種類**がある。後者の場合は、企画の初期段階から関わることができるのでインパクトが大きく、各種戦略まで踏み込んで貢献することになる。このあたりは社内でのオープンイノベーションチームをどこに位置づけるかでも変わってくる。

詳しくは➡4章:Wantフェイズ:探索ニーズの収集(P.73)

Q 協業プロジェクトにおける**マネジメントについて**、オープンイノベーション担当者は**どこまで関わるべきか?**

A 工数を食うので、**基本的には行うべきではない。** 創薬やITのような同種類のプロジェクトを多数抱えるなら別だが、別種のプロジェクトを実行する場合、通常のスキルでは工数に見合う付加価値を出せない。

> 詳しくは➡4章：Manageフェイズ：協業プロジェクトの実行（P.82）

....

Q 現在、自身が**オープンイノベーションチームのような役割**を社内でこなしている。今後のキャリアを考えると、**どのような能力を身につければよいか?**

A 課題解決コンサルティング力と外部のサービスを使いこなす能力を身につけるとよい。

> 詳しくは➡9章：オープンイノベーション活動に関わる人材要件（P.148）

....

Q コーポレートベンチャリングなど、**複数の手法をうまく使いこなしている企業**はあるのか?

A 日本だとソニーやパナソニックなどはいろいろやっている。グローバル企業についても調査結果があり、本当にたくさんのことをやっているが、整合性は取れていない。イノベーションの本質が不確実なものであることを考えると、そもそも整合性を取るべきかどうかもはっきりしない。ただし**手法やチーム間の関係性を考え続けることが重要**なのは間違いない。

> 詳しくは➡7章：Column：複数のイノベーションチーム（P.129）、
> 14章：オープンイノベーションの海外事例分析
> ⑧Unilever（P.219）⑩SAP（P.224）

Q スタートアップ企業とのPoCのために数千万円のコストが掛かったが、大企業でない場合は特に負担が大きい。**どのようにすればよかった**のか?

A **マイルストーンを区切ればよい。** 段階的な取り組みのほうが、可能性を早期に見極めたいスタートアップ企業側にとっても進めやすい。

> 詳しくは➡4章：Getフェイズ：協業条件の交渉（P.81）

- -

Q オープンイノベーションチームに**適した人材をどのように選定すればよいか?**

A 問題解決能力に加えて、**組織内外にネットワークを作る力や広範囲にまたがる知識**も持っていることが望ましい。ただし現実的にはそのような人材を現在の業務から引きはがすことは難しい。初期から成果を出していきたいなら、最初から外部人材の活用を考えるとよい。

> 詳しくは➡9章：オープンイノベーション活動に必要なスキルと能力（P.145）、オープンイノベーション活動に関わる人材要件（P.148）

刊行に寄せて

　メディアとして、オープンイノベーションの取材やイベントに
参加する中で、ある違和感があった。それは、取材対象の考えや
認識が毎回異なる、つかみどころがない点だ。どうにもはっきり
とせず、また業界として整備されたものもない。弊誌がスタート
アップやイノベーションに関する取材を始めて10年が経とうと
する現在でも、悩める担当者がいると聞く。

　またオープンイノベーションの重要性は長年叫ばれているもの
の、具体的な話はそこまで多く表に出てこない。メディアに出る
のは生存バイアスがかかった情報であり、失敗の本質や、各社ご
との適したやり方、担当者が知りたいであろう部分は見えにくい。
海外の情報も、P&Gをはじめとした手あかのついたものばかりが
目につく。

　日本のオープンイノベーションは確かに進んでいる。しかし、
もっとダイナミックな変化があってしかるべきではないか。そん
な中、NEDOの高度専門支援人材プログラムで羽山友治氏と出会
い、課題・疑問をぶつけたところ、「海外の研究者や実務家によ
る報告では、大企業視点でのオープンイノベーションは議論され
尽くされてきた感がある」という返事を得た。

　担当者が持つ課題のほとんどは、世界中の研究者に調べられて
いる。もちろんイノベーションの方法はひとつではないし、確実
な正解はないものだが、それを知っておくことで指針にはなるは
ずだ。わざわざ車輪の再発明をする必要はない。

日本でもオープンイノベーションについては、さまざまな書籍や記事が出ているが、実務家が記した場合は大企業での当事者目線になり、近い業界や規模の企業でないと参考にはなりにくい。また、仲介業者が出しているものはバイアスがかかっており、自分達に不利な話は入らない。

　我々が見ているオープンイノベーションとは何なのか、実際の事業担当者が持つべき考えは何か、本書は既存の言説に比べればバイアスを通さずに情報を基礎から伝えられる機会だと信じている。

　ウェブでの羽山氏の連載が出発点にあるが、クラウドソーシングの詳細な取り組み、中小企業・大学や政府での実践などについては加筆を行っている。ぜひ本書を羅針盤に、日本におけるオープンイノベーションのさらなる興隆が、そしてイノベーション研究の一端として、世界に続く新たな事業・実践での成果が生まれることを願う。

（ASCII STARTUP編集長　北島幹雄）

オープンイノベーションチームが あらゆる企業に置かれる日

オープンイノベーションを具体化するには、「協業パートナーの探索に特化した機能部門」という考え方が重要だ。以前と比べて高度になった協業パートナーの探索を一手に担い、各部署の生産性を向上させる、いわゆる触媒の役割を持った機能部門として当たり前のように存在する時代、オープンイノベーションチームがあらゆる企業に置かれる日が来るかもしれない。

いま改めて、 オープンイノベーションについて話すわけ

　ビジネスの現場にいるなら、「オープンイノベーション」という言葉を聞いたことがあるだろう。

　タイトルにオープンイノベーションを含んだウェビナーが日常的に開催されているし、企業・政府／地方公共団体・大学などさまざまな組織における方針発表でその重要性が強調されている。だが一方で、人によって理解や定義が異なり、コミュニケーションが難しい。オープンイノベーションについて聞かれた際、定義づけられた正しい説明をあなたはできているだろうか。私自身、オープンイノベーションを実践する者として、しばしば迷うこと

がある。

　私は現在、スイス企業の日本への展開・日本企業のスイスへの投資促進を支援する役割を担うスイス・ビジネス・ハブにおいて、イノベーション・アドバイザーとしてオープンイノベーションに携わっている。スイスの技術シーズに興味がある日本企業を見つけ、情報を提供したり、探索活動を支援したりすることが主な業務となる。この過程で大企業のオープンイノベーション活動に関して相談を受けることがあるが、相手の理解に合わせた説明が難しいと感じている。

　オープンイノベーションは、経営学におけるイノベーションに関する議論の中の1つのトピックに相当する。そのため、**ある程度は経営学全般やデジタルトランスフォーメーション（DX）・新規事業開発など他のイノベーション専門分野との関係性を押さえておかないと、全体像がつかめない。**また実務家からすると、研究者の議論と企業内での実践の間には距離を感じる部分もある。

　加えて、現時点で流通している情報源は、大きく分けて3種類あるが、それぞれに十分でない点がある。まず、オープンイノベーションを提唱したHenry Chesbrough（ヘンリー・チェスブロウ）の著作など、研究者が書いたものは背景知識がないと読みづらいし、日々の業務からは遠過ぎる。日本語に訳されている書籍も限られており、研究報告の大半は英文の学術雑誌に掲載されている。

　次に、企業でオープンイノベーション活動を推進してきた人々による書籍やセミナーは、自身の経験を元にした個別具体的な内

容が多く、汎用性の点で難がある。また、企業にサービスを提供するオープンイノベーション仲介業者の手によるものは、他社のサービスに極力触れないなど、自社に有利なバイアスが掛かっている。両者ともに、アカデミアの議論をフォローしているようには見受けられない。

　私はこれまでに、企業や仲介業者においてさまざまな立場でオープンイノベーションに関わってきた。加えて相当数の書籍や論文を読み、実務家の立場から検討を重ね続けている。**本書では、上記とは異なる新たな視点から、企業のオープンイノベーション担当者には明日から使える実践的なノウハウを、またオープンイノベーションに興味があるすべての人々には理解に役立つ全体像を提供できると考えている。**

オープンイノベーションチームの位置づけ

　さまざまな企業でオープンイノベーションを冠した部署(以下、オープンイノベーションチーム)を置くところが増えてきているが、それぞれ位置づけが異なっている。それ以前にとりあえず立ち上げてみただけで、明確な意図がない場合も多いのではないだろうか。「競合他社が設置したから」、「トレンドだから名称を付けてみた」、ということもあるかもしれない。

　役割が不明確であると、どのようなデメリットがあるだろうか。専属のチームを立ち上げてトライアルを開始した時点では、あくまでも暫定的な活動として認識されているはずである。しばらく

の猶予はあるとしても、一定の期間に所属する組織の中で存在価値を認められなければ、再編のタイミングで潰される可能性が高い。よって周囲に存在意義を示すには、チームの機能を定義して居場所を確保しておく必要がある。

　前提として、本書ではオープンイノベーションチームを、「協業パートナーの探索に特化した機能部門」として考えることを提案したい。デジタル技術の発展や仲介業者が提供するサービスの広まりによって、探索に高度な専門性が求められるようになってきた。結果としてこれまで研究所や事業部の担当者が本業の片手間に行ってきたことを、現場の各部署から切り離し、機能部門として独立させる時期がきている。

　私自身は直接的な経験がないものの、今では大企業に当たり前に存在する知財法務部や情報システム部なども同じ経緯をたどってきたと推測している。後者の場合、コンピューターが企業に導入され始めたころは、現場の各部署が個々に対応できていたかもしれない。一方で新しいハードウェア／ソフトウェアの登場、またセキュリティーの問題などが出てくるにつれ、知見を集約しながら対応する専門部署を設置せざるを得なくなったと思われる。

　現在では一定以上の規模の企業であれば、おおむね知財法務部や情報システム部に相当する部署が設置されている。同様にオープンイノベーションチームがあらゆる企業に置かれる日が来るかもしれない。以前と比べて高度になった協業パートナーの探索を一手に担い、各部署の生産性を向上させる、いわゆる触媒の役割を持った機能部門として当たり前のように存在する時代である。

本書で話さないこと、話すこと

しばしばオープンイノベーションにはトップマネジメントの支援やリーダーシップが必要と言われている。これがあると、例えば適切なコミュニケーションを通じて協力者が増えるし、失敗が許容される範囲が広まるかもしれない。さらには活動資金や人材面での余裕ができたり、大企業同士の戦略的パートナーシップやベンチャー企業への投資など、高リスクの案件についての社内合意が取りやすくなったりする。

一方で本書の主な想定読者であるオープンイノベーションチームの担当者やマネージャーからすると、そのようなことを言われても困ってしまうのではないか。上位の人々を啓蒙することは容易ではないし、もともとリーダーシップがない場合は期待しても無理がある。チームにできることは、費用を見極めて効率的に活動し、チャンスが来るまで着実に成果を出していくことであり、そのために役立つ内容に絞って話したい。

なお、従来の1対1の関係性を元にしたオープンイノベーション活動を1.0と呼ぶのに対して、多様な参加者を巻き込んだエコシステム的な取り組みは2.0と呼ばれている。前者では活動を実施する主体の利益が、後者では社会課題の解決が目的となる。現在ではもっぱら後者の議論が主流であるが、1.0があってこその2.0と考え、2.0については一部で触れるに留めておく。

本書は、基本、応用、補足、発展での構成となる。

基本編（第1〜4章）では、オープンイノベーションを取り入れるにあたっての基本的な内容を紹介する。まずはその定義や効果などを改めて整理する。続いてオープンイノベーションを企業内で取り入れる際の全体像を示し、その後に協業パートナーの探索時に用いる手法と仲介サービスを紹介する。最後にオープンイノベーションチームが行う業務を段階的に見ていく。

　応用編（第5〜8章）では、手法の1つであるオープンイノベーションコンテストを取り上げる。基本的な特徴を説明した後に、実行時の流れや注意すべきポイントを紹介する。続いてコーポレートベンチャーキャピタル（CVC）を含むコーポレートベンチャリングについて議論してから、ユーザー巻き込み型のオープンイノベーション活動であるユーザーイノベーションへと話題を転じる。

　補足編（第9〜11章）においては、オープンイノベーション活動の実践で考慮すべき3つの観点を示したい。人に関する項目ではオープンイノベーションチームのメンバーや支援対象となる担当者の特徴を、知的財産権についてはオープンイノベーションとの絡みで注意すべき側面を紹介する。最後に取り組みを改善していくうえで役立つ情報収集のノウハウや心構えを述べる。

　発展編（第12〜14章）では必須というわけではないものの、企業のオープンイノベーションチームが知っておきたい話題を取り上げる。オープンイノベーションと同じく、近年話題になっているDX・新規事業開発との関係性を整理する。そして非メーカー系大企業・中小ベンチャー企業・非営利組織における活動、また参考にすべき海外企業の事例を紹介する。

本書の使い方

本書は、オープンイノベーションという言葉になじみがない人々には「入門」的な位置づけとして、また実務で試行錯誤する中でアイデアが欲しい人々に対しては「手引き」や「実践ガイド」として手元で役立ててもらうことを目指している。そのため幅広い話題を扱っており、書籍を最初から通して読むのではなく、役立つところに限って目を通したい読者にとっては取っ付きにくく思われるかもしれない。以下、担当者の立場や役割の違いごとにおすすめの章を紹介するので、参考にしてほしい。

担当者別の参照すべき章一覧

● オープンイノベーションのまったくの初心者 　➡1章・2章

● 中堅／大企業のオープンイノベーション担当者
　➡2章・3章・4章・5章・6章・7章・11章

● 中堅／大企業の新規事業開発やデジタル推進部門の担当者
　➡2章・7章・12章

● 中堅／大企業の上級マネージャー 　➡2章・7章・9章・10章

● 中堅／大企業と協業している中小ベンチャー企業の担当者やアカデミアの研究者／産学連携担当者 　➡2章・10章・13章

● 中堅／大企業にサービスを提供しているオープンイノベーション仲介業者の担当者 　➡2章・3章・4章・7章

● 中堅／大企業のオープンイノベーション活動を活性化させたい政府／自治体の担当者 　➡2章・11章・13章

● オープンイノベーションの事例に興味がある人 　➡14章

組織別に意識したい活動の種類と探索ニーズの例

　各組織で意識したい活動の種類と探索ニーズの例を挙げる。実際の探索手法については3章・7章で説明している。これがすべてというわけではないが、最初期に活動を開始する指針として参考にしてほしい。

メーカー系大企業
- 研究／製品／事業開発プロジェクトを進める中で足りないシーズの導入
   ➡ 特定の技術を持った中小企業の探索

- 間接業務の効率化や新たな取り組み（例：サステナビリティー対応）の推進に役立つシーズの導入　➡ 特定のノウハウを持った個人の探索

- 新規事業プロジェクトの創出を目的としたシーズの導入
   ➡ 特定の事業を展開するベンチャー企業の探索

- 開発したシーズの導出
   ➡ 用途仮説を持った個人の探索、製品を購入してくれる大企業の探索

非メーカー系大企業
- サービス／事業開発プロジェクトを進める中で足りないシーズの導入
   ➡ 特定の事業を展開する大企業の探索

- 既存事業の生産性の向上に役立つシーズの導入
   ➡ 解決策となる製品を販売する中小企業の探索

- 間接業務の効率化や新たな取り組みの推進に役立つシーズの導入
   ➡ 特定のノウハウを持った個人の探索

- 新規事業プロジェクトの創出を目的としたシーズの導入
   ➡ 特定の事業を展開するベンチャー企業の探索

中小ベンチャー企業
- 研究／製品／事業開発プロジェクトを進める中で足りないシーズの導入
   ➡ 特定のノウハウを持ったアカデミアの研究者の探索

- 開発した技術シーズの導出
   ➡ 用途仮説を持った個人の探索、製品を購入してくれる大企業の探索

大学
- 開発したシーズの導出
   ➡ 用途仮説を持った個人の探索、技術をライセンシングしてくれる大企業の探索

政府／地方公共団体
- 業務の効率化を目的としたシーズの導入
   ➡ 解決策となる事業を展開するベンチャー企業の探索

本書で一例として想定する、
オープンイノベーション活動のフローチャート

　オープンイノベーションの実践にあたっての組織立ち上げからプロジェクト実施までの流れは以下の通り。なお、チームとあるが個人での活動も同様となる。詳しい内容は4章を参照してほしい。

①オープンイノベーションチームを立ち上げる

②支援対象組織を決める

③（課題解決コンサルティングを行い）探索ニーズを収集する

④探索ニーズに優先順位を付ける

⑤協業パートナー候補を探索する

⑥（複数の候補が見つかった場合）協業パートナーを絞り込む

⑦パートナーと協業の枠組みを交渉する

⑧協業プロジェクトを実施する

オープンイノベーションチームのメンバー業務参考例

オープンイノベーションチームが実施する基本的な活動事項の参考例を以下に記す。活動の幅を広げていくことで、ここに記載されない業務も発生するだろう。例えば、アクセラレータープログラムやCVCを実施する場合の出資に伴うデューデリジェンスなど。詳しい内容は4章・11章を参照してほしい。

①ニーズ収集
- 特定の個人への働きかけ／定期ヒアリング
- 支援対象組織での幅広い募集
- 支援対象組織で開催される会議体への出席

②ニーズ対応
- 協業パートナーの探索
- 協業パートナーとの交渉支援
- 協業プロジェクトの支援

③社外組織とのネットワーク構築
- オープンイノベーション仲介業者
- 他の企業のオープンイノベーションチーム

④情報収集
- シーズに関する情報
  展示会／学会など
- オープンイノベーション活動に役立つ情報
  セミナー／カンフェレンス／論文／書籍など

⑤一般
- KPI管理
- 会議体での報告
- 関係者の啓蒙

基本編

第1章 オープンイノベーションの基本事項：
「そこに効果はあるのか？」と言われたら……31

オープンイノベーション活動：
プロセスとして知るべきWFGMモデル
(Want, Find, Get, Manage) ……… 43

オープンイノベーションの
手法と仲介サービス：
業者一覧とサービスの使い分け ……… 55

オープンイノベーションの実践：
協業プロジェクトの
成功に関わる要素とは？ ……… 69

補 足 編

オープンイノベーションの基本事項：「そこに効果はあるのか？」と言われたら

まずはイノベーションについての議論を押さえたうえで、オープンイノベーションの定義を確認する。続いてそれが広まる背景を説明してから、両者の関係性を明らかにする。重要となる業績に与える効果についても論拠や財務との関係性を示す。

イノベーションの定義

イノベーションという言葉をみなさんはあまり意識をせずに使っているのではないだろうか。オーストリアの経済学者であるSchumpeterが100年以上前に提唱し、日本では「技術革新」と訳されてきた経緯がある。一方最近では、いわゆる発明だけでなく、利益を生み出してこそのイノベーションであるという認識も広まってきている。イノベーションを扱った書籍はさまざまあるが、実務家には清水の書籍がわかりやすい。[*1]

清水はイノベーションを「経済的な価値を生み出す新しいモノゴト」としている。経済的な価値を生むという点で、画期的な製品やサービスを生み出しても、売上高や利益につながらなければイノベーションとは呼べない。またわずかな改良や改善も新しさに含めている。本定義によると、新規事業の創出・既存事業の見直し・新たなビジネスプロセスの構築などは、すべてイノベーションに含まれる。

現在ではさまざまな企業がイノベーションを求めているが、本当に必要なのだろうか。このあたりについては入山の説明が参考になる。従来の経営学では未来が予測できることを前提として、安定した持続的な競争優位の獲得を目指す戦略が議論されてきた。しかしながら不確実性が高く変化が激しい現在においては、連続する変化への対応を目的として、イノベーションを継続的に創出することが求められている。[*2]

---

*1　清水洋 [2022],『イノベーション』有斐閣。
*2　入山章栄 [2019],『世界標準の経営理論』ダイヤモンド社。

オープンイノベーションの定義

オープンイノベーションの話をする準備が整ったので、最初の Chesbroughによる定義を確認したい。2003年の書籍では次のように説明されている。[*3]

> Open Innovation is a paradigm that assumes that firms can and should use external ideas as well as internal ideas, and internal and external paths to market, as the firms look to advance their technology.
> （オープンイノベーションは一種のパラダイムであり、企業は社外のアイデアを社内と同様に利用できる、またすべきである。技術の商業化にあたっては、社内と社外の両方の道筋がある：筆者訳）

パラダイムとは、ある時代において支配的な物の考え方や認識の枠組みであり、社外のアイデアを社内のものと区別せずに活用する姿勢を示している。

続く2006年の書籍では、少し定義が変わっている。[*4]

> Open innovation is the use of purposive inflows and outflows of knowledge to accelerate internal

---

[*3] Chesbrough, Henry W. [2003], Open Innovation: The New Imperative for Creating and Profiting from Technology, Harvard Business School Press; McGraw-Hill. (大前恵一郎訳『OPEN INNOVATION―ハーバード流イノベーション戦略のすべて (Harvard business school press)』産業能率大学出版部、2004年)

[*4] Chesbrough, Henry, Wim Vanhaverbeke and Joel West (eds.) [2006], Open Innovation: Researching a New Paradigm, Oxford University Press. (長尾高弘訳『オープンイノベーション 組織を越えたネットワークが成長を加速する』英治出版, 2008年)

innovation, and expand the markets for external use of innovation, respectively. Open Innovation is a paradigm that assumes that firms can and should use external ideas as well as internal ideas, and internal and external paths to market, as they look to advance their technology.

（オープンイノベーションは知識の社内外への流れの意図的な利用であって、社内のイノベーションを加速し、社外における商業化を試みる。企業は社外のアイデアを社内と同様に利用でき、またすべきであって、技術の商業化にあたっては、社内と社外の両方の道筋がある：筆者訳）

　イノベーションの創出を目的として知識の流入と流出を利用するということで、最初のものと比べて行動に焦点が移っている。
　その後の2014年の定義は現在でも論文などでよく見かけるもので、研究者間の共通認識となっている。*5

Open innovation is a distributed innovation process based on purposively managed knowledge flows across organizational boundaries, using pecuniary and non-pecuniary mechanisms in line with each organization's business model.

（オープンイノベーションは分散化したイノベーションプロセスである。その基にあるのは意図的に管理された組織の境界をまたぐ知識の流れであって、金銭的・非金銭的なメ

*5　Chesbrough, Henry, Wim Vanhaverbeke and Joel West (eds.) [2014], New Frontiers in Open Innovation, Oxford University Press.

カニズムが各組織のビジネスモデルに合わせて利用される：
筆者訳）

「各組織のビジネスモデルに合わせて」とあるように、一企業を
越えてエコシステム全体に視点が移っている。

　以上のようにオープンイノベーションという言葉の定義自体が、
時代によって変わってきたという経緯がある。アカデミアでの議
論を参考にするなら最新のものを用いるほうがよいかもしれない
が、本書はあくまでも実務家を対象としている。**企業がオープン
イノベーション活動を推進するうえでは、最初のものがわかりや
すい。よって以後は「外部を活用するという考え方」を指すものと
して進めていく。**

オープンイノベーションの背景

　**企業内のリソースだけが使用できる状況と比べて、内部と外部
の組み合わせが検討できるなら、選択肢が増えることで生産性の
向上が期待できる。**これは当たり前に思えるが、なぜ2000年代
に入ってからオープンイノベーションという言葉が注目されるよ
うになってきたのだろうか。その背景には業界によって違いがあ
るものの、企業を取り巻く3つのトレンドが影響している。

　第1にイノベーションの創出が困難になってきている。以前と
比べて、多くの業界において技術開発に必要なコストが上昇して
いる。また科学技術の発展や顧客ニーズの変化が早まる中で、製
品やサービスのライフサイクルが短くなっている。結果として売

上高よりも研究開発費の上昇率が高まっており、イノベーション
の創出方法を抜本的に変える必要性に迫られている。

　第2の要因は有用な外部の知識の増加である。従来は専門的な
能力の大きな割合が先進国の一部の大企業に集中していたのに対
して、現在ではベンチャー・スタートアップ企業を含む世界中の
組織に有能な人材が分散している状況にある。加えて大学や研究
機関が実学志向を強め、企業が求めるような分野で積極的に研究
活動を行い、関連する特許を取得するようになってきた。

　最後は、知識の探索方法に関するものである。インターネット
普及に伴い、誰でも簡単に情報を検索できるようになっている。
またベンチャーキャピタルやオープンイノベーション仲介業者の
登場により、企業は協業パートナーの探索を外部に委託できるよ
うになってきた。つまり自分で探そうと思えば探せるし、サービ
スを活用することで効率よく探せる環境が整ってきている。

イノベーションとオープンイノベーションの関係性

　研究／製品／事業開発など社内のあらゆるイノベーションプロ
ジェクトを製品と市場の2軸でマッピングして、中核・隣接・変
革の3つの領域に分けてみたのが次の図1-1だ。業界やその時々
の状況によって異なるが、それぞれの企業にとって理想となる
ポートフォリオが存在する（さまざまな業界で業績がよい企業は
70％：20％：10％となっている）。それを現状と比べたとき、
何らかの手段でギャップを埋める必要があり、その手段の1つが
オープンイノベーション活動である。

図1-1 イノベーションとオープンイノベーションの関係性[*6]

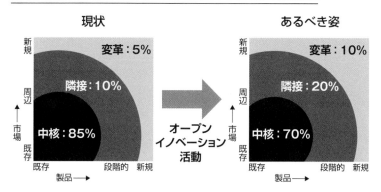

変革領域のプロジェクトは、企業にとっては飛び地に当たる。この領域のプロジェクトでは、能力開発と並行して市場ニーズも確認しないといけないため、自社単独のアプローチには限界がある。効率よく取り組むためには、ベンチャー企業など社外パートナーと協業することが手っ取り早い。これが新規事業開発を目的としたプロジェクト創出型のオープンイノベーション活動である。

　一方で3つの領域には無数のプロジェクトが存在する。それらを推進するうえで、特定のノウハウや技術など足りないシーズが出てくることがある。このような場合にパートナーとの協業を通じて補うことで、プロジェクトの成功確率を高められる。これは研究／製品／事業開発の生産性の向上を目的としたプロジェクト強化型のオープンイノベーション活動と言える。

　企業としては理想のポートフォリオが実現できれば、手段は問わないはずである。例えば基礎的な研究所を新たに立ち上げれば、

[*6]　以下を元に著者作成
Nagji, Bansi and Geoff Tuff [2012], "Managing Your Innovation Portfolio," Harvard Business Review, 90(5), 66–74.

長期的に変革領域のプロジェクトの割合を増やせるかもしれない。しかしながら膨大なコストが掛かるし、時間軸の点で現実的な打ち手とは思えない。**オープンイノベーション活動はそのコストパフォーマンスの高さゆえに、手段として採用する価値がある。**

オープンイノベーションの効果

　企業におけるオープンイノベーションの導入は変革活動に相当し、批判的な意見が出てくることが想定される。よって活動を推進すべきことを示す強固な論法を構築しておきたい。この点に関して、**オープンイノベーションがイノベーションを促進し、企業の業績を向上させることを示した報告が多数存在する。対象となった企業の国籍・規模・業種などはさまざまであるものの、おおむね同じ傾向を示している。**

　例えば米国の年次報告書である10-Kに自然言語処理を適用し、オープンイノベーションと財務パフォーマンスの関係性を調査した2報の論文がある。Luはさまざまな手法全体を合計すれば、企業の財務と正の相関があることを明らかにしている。またSchäperによると両者はS字型の関係にあり、適度なレベルで採用すべきことがわかっている。[7][8]

　そもそも、イノベーションの測定方法自体に議論がある中で、

＊7　Lu, Qinli and Henry Chesbrough [2022], "Measuring open innovation practices through topic modelling: Revisiting their impact on firm financial performance," Technovation, 114, 102434.
＊8　Schäper, Thomas, Christopher Jung, Johann Nils Foege, Marcel L.A.M. Bogers, Stav Fainshmidt and Stephan Nüesch [2023], "The S-shaped relationship between open innovation and financial performance: A longitudinal perspective using a novel text-based measure," Research Policy, 52(6), 104764.

さらにその一部であるオープンイノベーションが業績に貢献した割合を、その他の要素から切り出すことは困難である。効果を示唆する研究があることは伝えたうえでそのあたりも補足し、下記のような説明によって納得してもらうとよいだろう。

☑ **オープンイノベーションで以下が実現できる**

- ・製品／サービス開発のスピードが上がる
- ・製品／サービス開発の成功確率が上がる
- ・研究開発のコストが削減できる

☑ **オープンイノベーションを取り入れないと、競合他社に対抗できなくなる**

Column

クローズドイノベーションの有用性

Schäperの報告では、価値のある外部知識へのアクセス・研究開発活動におけるシナジーの実現・使われていない内部知識の商業化による新たな収入といったオープンイノベーションのベネフィットに加えて、活動を立ち上げ／維持することに関係するすり合わせコストと、協業パートナーの探索／評価／交渉／管理などに関係している調整コストに分けて、S字型の関係性に解釈を加えている。

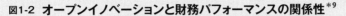

図1-2　オープンイノベーションと財務パフォーマンスの関係性[9]

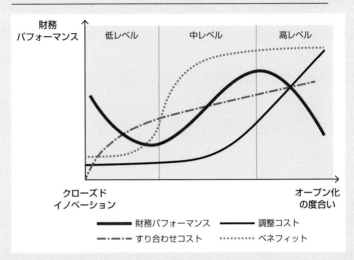

☑クローズドイノベーション

- ベネフィットもコストもないが、一定の財務パフォーマンスを発揮できる

☑低レベル(ベネフィット＜コスト)

- シナジーの実現や知識の活用の可能性が限られていることから、ベネフィットは小さい
- オープンイノベーション活動の仕組みを構築する必要性やルーティンの欠如によって、すり合わせコストが急激に大きくなる
- 協業パートナーの数が少ないため、調整コストが小さい

---

*9　以下を元に著者作成

Schäper, Thomas, Christopher Jung, Johann Nils Foege, Marcel L.A.M. Bogers, Stav Fainshmidt, and Stephan Nüesch [2023], "The S-shaped relationship between open innovation and financial performance: A longitudinal perspective using a novel text-based measure," Research Policy, 52(6), 104764.

☑ **中レベル（ベネフィット ＞ コスト）**

- 複数の協業プロジェクトから利益が得られ、ベネフィットが大きい
- 効率的にオープンイノベーション活動が実践されるため、すり合わせコストの増加は限られる
- 協業パートナーは適切に管理できる範囲に留まっており、調整コストはそれほど大きくならない

☑ **高レベル（ベネフィット ＜ コスト）**

- 外部と内部の知識を統合する難しさから、ベネフィットの大きな増加は見込めない
- 効率的にオープンイノベーション活動が実践されるため、すり合わせコストの増加は限られる
- 協業パートナーの増加に伴い、調整コストが急激に大きくなる

　上記のように中途半端にオープンイノベーションを採用するよりは、クローズドイノベーションのほうが財務的には好ましい。そもそも活動を実施しなければ、オープンイノベーションという新規の専門性をマネジメントする必要性がなくなるという実務的なメリットもある。一方でクローズドイノベーションでは自社のリソースしか活用できないため、社会課題など大きな取り組みを推進することは難しい。

オープンイノベーション活動：
プロセスとして知るべき
WFGMモデル
(Want, Find, Get, Manage)

オープンイノベーションという考え方を企業内で実践するにあたり、しばしば紹介される3つの分類と活動プロセスを紹介する。その後に実際に推進していく際の体制や評価指標のポイントを説明する。

オープンイノベーション活動の目的

第1章でオープンイノベーションを「外部を活用するという考え方」と説明した。そのうえで本書では、「オープンイノベーションを組織内で活かす試み」をオープンイノベーション活動と定義する。これはオープンイノベーションに限ったことではないが、目標を設定する際には、活動を立ち上げたスポンサーの意向を尊重する必要がある。おそらくは企業戦略や事業戦略、研究開発戦略などの各種戦略を踏まえたものとなるだろう。

オープンイノベーション活動の目的としては、研究開発の生産性の向上・事業化の促進・人材の育成・企業イメージの向上などが挙げられる。**しかし、これらは定量的な目標値を設定することが難しく、オープンイノベーションチームが目指すべき方向性としてもわかりにくい。そこで、それらを達成するための前提として、協業パートナーの探索に特化した機能部門を組織に根付かせることを掲げておくとよい。**

オープンイノベーション活動には新規事業開発を目的としたプロジェクト創出型のものと、研究／製品／事業開発の生産性の向上を目的としたプロジェクト強化型のものがある。前者はベンチャー・スタートアップ企業が、後者はアカデミアの研究者や中小企業など幅広い協業パートナーが主に想定される。オープンイノベーションを推進するチームに求められる役割に応じて、これらに取り組む割合を変えていくことになる。

隣接領域における技術主導型の
新規事業創出の可能性

　オープンイノベーション活動は、その他にもさまざまな目的に活用できる。例えば中国の半導体メーカーであるHisiliconが、親会社で通信機器メーカーであるHuaweiを顧客として活用し、オープンイノベーションを活かして短期間での成長を実現した事例がある（詳細は第14章を参照）。Huaweiを既存事業、Hisiliconを新規事業と考えると、一般消費財メーカーが素材製品事業に進出したり、化学メーカーがマテリアルインフォマティクスサービス事業に参入したりするケースに相当する。[*1]

　本事例は参入期が10年弱と長期間にわたっており、相当なリソースが掛けられている。2000年代前半と比べて環境の変化が激しくなっている現在では、現実的ではないという意見もあるだろう。しかしながら新規事業の創出に既存事業を活かせているという意味では両利きの実践とも言え、示唆に富む事例である。

---

*1　Jiang, Shimei, Jing Sun, Hui Cao, Meixuan Jin, Zhijuan Feng and Yiwen Qin [2023], "How to resolve the paradox of openness: a case study of Huawei Hisilicon (China)," Technology Analysis & Strategic Management, DOI: 10.1080/09537325.2023.2190420.

オープンイノベーション活動の分類

オープンイノベーション活動に関してさまざまな観点からの分類が報告されている。中でも最も有名なものは、Gassmannによる知識の流れる方向に基づいたアウトサイドイン・インサイドアウト・カップルドの3分類である。[2]

図2-1　知識の流れる方向に基づいた分類[3]

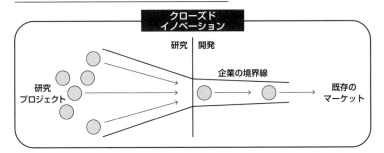

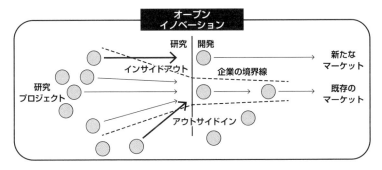

アウトサイドイン型の活動は社外のシーズを社内に取り込むもので、新たなシーズの価値を認識・同化・活用するための吸収力

---

[2]　Gassmann, Oliver and Ellen Enkel [2004], "Towards a Theory of Open Innovation: Three Core Process Archetypes," R&D Management Conference (RADMA), Lissabon.

[3]　以下を元に著者作成
Chesbrough, Henry W. [2003], Open Innovation: The New Imperative for Creating and Profiting from Technology, Harvard Business School Press; McGraw-Hill. (大前恵一郎 訳『OPEN INNOVATION—ハーバード流イノベーション戦略のすべて (Harvard business school press)』産業能率大学出版部, 2004年)

が求められる。また社内の自前主義(いわゆるNIH症候群：Not Invented Here)が障害となり得る。一方社内のシーズを社外に導出するインサイドアウト型の活動には、商業化フェイズのものが多い。カップルド型はその2つの組み合わせで、協業パートナーと相互にシーズをやり取りしていくことになる。

　大企業の多くがアウトサイドイン型のオープンイノベーション活動に注力しており、アカデミアの研究でも主な対象となっている。**インサイドアウト型の活動はシーズに合ったニーズを探し出す必要があるため、成功確率が低い。**これはものを売ることが買うことよりも難しいことと本質的に同じである。以後の議論は、特に言及がない限りアウトサイドイン型の活動を念頭に置いている。

オープンイノベーション活動のプロセス

　オープンイノベーション活動を展開するにあたっては、ラトガーズ大学とアライアンスマネジメントグループに所属するSlowinskiがその著作で紹介した"Want, Find, Get, Manage" Model (WFGMモデル)が参考になる。本モデルは1990年代のバイオテクノロジー業界におけるオープンイノベーション活動を支援するために生み出され、その後幅広い業界で採用されてきた。[*4]

　それぞれの定義は以下の通り：

☑**Want：何が必要か？**

＊4　Slowinski, Gene [2004], Reinventing Corporate Growth, Alliance Management Group Inc.; Gladstone.

☑ **Find：どのように探索するか？**
☑ **Get：どのように交渉するか？**
☑ **Manage：どのように協業プロジェクトを管理するか？**

　本モデル活用にあたって、Wantフェイズで集める探索ニーズを「特定のシーズを持った協業パートナーを探索したいという要望」と定義する。それぞれの要素として以下が考えられるが、あくまで主なものであり、これに限らない。将来的には協業パートナーの種類としてNPOを探索するようになるかもしれない。

☑ **シーズの種類：ノウハウ・アイデア・技術・製品・事業**
☑ **協業パートナーの種類：個人・アカデミア・ベンチャー企業・中小企業・大企業・海外（の個人／アカデミア／ベンチャー企業／中小企業／大企業）**

　例えばノウハウAを持ったアカデミアの研究者・技術Bを持った中小企業・事業Cを持ったベンチャー企業など、両者の組み合わせで表現される。*5

　この定義は「シーズの対象を広く捉えたところ」と「探すべきものを協業パートナーとしたところ」の2点について工夫している。前者に関して従来では、技術的なノウハウやシーズに焦点を当てた議論が多かった。これは研究開発型企業に限定していたためと思われる。後者については探索時のことを考えると、シーズそのものを探すというよりは、シーズを保有する協業パートナーを探

*5　羽山友治 [2023],「オープンイノベーション活動の基本とスイスにおける協業パートナーの探索」『研究開発リーダー』19 (11), 53-57頁。

すと捉えたほうが対応しやすくなる。これも含めて第3章で詳しく説明するが、次のFindフェイズでは、探索ニーズに応じた適切なオープンイノベーションの手法や仲介サービスを選択していくことになる。

☑ **手法の例：**

　オープンイノベーションコンテスト、テクノロジースカウティング、アクセラレータプログラムなど

☑ **国内における仲介サービスの例：**

　ケイエスピー：技術スカウトサービス、中小企業基盤整備機構：ジェグテック、リンカーズ：Linkers Sourcing　など

　実際のオープンイノベーション活動は、条件の調整において柔軟に対応可能なGetフェイズ以外の3つの掛け算から成功確率を考えるとよい。Wantフェイズで筋のよい協業パートナーの探索ニーズに出会う確率、そしてFindフェイズで有望な協業パートナーを特定できる確率、最後にManageフェイズの協業プロジェクトで想定通りの成果が出る確率を各々仮に0.5とすると、8件に1件ほどしか成果が出ない計算となる。

図2-2　**オープンイノベーション活動の**
　　　成果を左右する3つのフェイズ

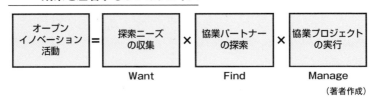

（著者作成）

オープンイノベーション活動の推進

　組織体制に関しては、WFGMモデルで活動を推進するにあたり、専属のチームを設置することが望ましい。とはいえ現実的には最初から複数人を当てることは難しいかもしれない。その場合は1人でも実施できる。逆に人数が多ければ多いほど、より大きな成果が求められるため、立ち上げ時は3人程度に抑えておきたい。一方で他の業務があるとそちらに逃げてしまう恐れがあることから、専任とするほうがよい。

　チームを設置する場所は、支援する範囲によって変わってくる。社内の幅広い部署を対象とする場合は、トップマネジメントの直下やイノベーション推進部など、できる限り中心に近いところに置いておきたい。これはDXを推進するチームと同じ考え方である。所属する組織内に限定して活動するなら、個々の事業部や研究所の中に設置すればよい。

　活動として実施するからには、適切な指標を設定して継続的に追跡することで、改善のサイクルを回していくことが求められる。有効な評価指標はオープンイノベーションチームの目標や活動レベル、企業文化によって異なる。よって自社に適したものを見出す必要がある。成果については、評価指標で定量的に、成功事例のストーリーで定性的に説明することが効果的である。

　具体的には活動のアウトプットに関する指標として、収集／対応した探索ニーズの数・NDA数・協業契約締結数を測定することをおすすめする。協業パートナー候補との面談数は追跡する手

間が掛かるし、技術／サンプル評価数は案件依存性が高い点で難がある。製品／サービスなど金銭的に貢献した成功事例数は、活動を開始してから少なくとも数年は経たないと出てこないため、初期の時点では役に立たない。

　その他の指標は、社外組織とのネットワークの構築に関しては仲介業者／他社のオープンイノベーションチームとの面談数や仲介サービスの活用数を、社内での信頼感については探索ニーズへの対応終了後の満足度を、オープンイノベーションの浸透度合いに関する指標としてはチームが発信したニュースの配信数や各種会議体での活動報告数などを設定するとよい。

Column

評価指標のフレームワーク

　Erkensは「オープンイノベーションの手法」・「評価指標の タイプ」・「使用法」の3つの特性の組み合わせに基づいて評 価指標を設定するフレームワークを提案している。[6]

☑オープンイノベーションの手法

手法ごとに目的や対象が異なるため、それぞれに特有の評 価指標が必要である

☑評価指標のタイプ

全体のパフォーマンスを評価するためには、以下のフェイ ズの評価指標を組み合わせることが望ましい

インプットKPI

使用したリソース（投入した工数・費用など）

プロセスKPI

インプットをアウトプットに変換する際のプロセス効 率（時間差異・予算差異など）

アウトプットKPI

生み出した直接的な結果（アイデア数・特許数など）

アウトカムKPI

金銭的な成果（生み出した市場価値など）

☑使用法

評価指標には以下の3つの用途がある

手段的使用

意思決定に用いる

＊6　Erkens, Marc, Susanne Wosch, Frank Piller and Dirk Lüttgens [2014], "Measuring open innovation : A toolkit for successful innovation teams," Performance, 6 (2), 12-23.

概念的使用

　　具体的な行動と関係なく、啓蒙や理解のために用いる

象徴的使用

　　意思決定を行った後に、判断を正当化するために用いる

　　大企業対象の調査結果では、責任者は評価指標を概念的／象徴的に用いることが多かった。不確実性の高さから意思決定の参考となるものがないと考えられている可能性がある。またインプットやアウトカムは意思決定の際に、アウトプットは啓蒙や理解、判断の正当化に用いられている。さらには評価が難しいアイデアの新規性よりも、金銭的評価指標が好まれることも明らかになっている。

オープンイノベーションの手法と仲介サービス：業者一覧とサービスの使い分け

オープンイノベーション活動で協業パートナーを探索する際には、手法と仲介サービスの活用が重要となってくる。仲介業者を取り巻く国内外の状況や使いこなし方について説明する。

オープンイノベーションの手法

オープンイノベーション活動を実践するうえで「協業パートナーを探索、またはパートナーと協業する際に活用できるさまざまな手段」をオープンイノベーションの手法と定義する。現在は同じ手法であっても複数の呼び方が混在している状況にある。例えば不特定多数に提案を呼びかけるオープンイノベーションコンテストは、アイデアコンテスト・アイデアコンペティション・チャレンジとも呼ばれている。

2013年にChesbroughはEU・米国の大企業を対象としたオープンイノベーションに関する包括的な調査結果を報告している。

図3-1 オープンイノベーションの手法[*1]

知識の方向性 ＼ 金銭のやり取り	あり	なし
アウトサイドイン	・IPのインライセンシング ・R&D受託サービス ・オープンイノベーション仲介業者 ・アイデア／スタートアップコンテスト ・サプライヤーアワード ・大学への研究資金提供	・顧客／消費者との共創 ・クラウドソーシング ・公的機関が支援するR&Dコンソーシアム ・非公式ネットワーキング
インサイドアウト	・スピンオフ ・インキュベーション ・新製品に関するアイデアの第三者への譲渡 ・IPのアウトライセンシング	・標準化活動への参画 ・合弁会社 ・クリエイティブコモンズ／非営利組織への寄付

＊1　以下を元に著者作成
Chesbrough, Henry and Sabine Brunswicker [2013], Managing Open Innovation in Large Firms, Fraunhofer Verlag.

その中では知識の方向性と金銭の授受の2軸で手法を分類し、クリエイティブコモンズ／非営利組織への寄付まで幅広く含めた図が掲載されている。また多くの企業がインサイドアウト型よりもアウトサイドイン型の活動に注力していることが明らかにされている。

その他の分類の例として、Brunswickerは企業が特定のプロジェクトに対して4つの手法のどれを用いればよいかを判断するために役立つガイドラインを提供している。

図3-2 オープンイノベーションプロジェクトの特徴と適した手法[*2]

知識の場所		低い	高い
特定されていない		オープンイノベーションコンテスト	オープンイノベーションコミュニティー
特定されている		従来のIPに基づいた契約	オープンイノベーションパートナーシップ
		問題の複雑さ	

複雑な問題とは、さまざまな要因間の非線形な関係や相互作用によって特徴付けられ、他の関連する問題領域から容易に分解・

＊2　以下を元に著者作成
Brunswicker, Sabine, Mehdi Bagherzadeh, Allison Lamb, Raghav Narsalay, and Yu Jing [2016], Managing Open Innovation Projects with Impact, Whitepaper Series, Research Center for Open Digital Innovation, Purdue University.

線引きできないものである。例えばクリーンエネルギーやスマートモビリティに関するものなどがそれにあたる。

☑**オープンイノベーションパートナーシップ**

問題が複雑だが既知の技術領域で解決できそうなときに適している

☑**オープンイノベーションコンテスト**

企業にとって未知の技術領域の問題を解決するのに適している

☑**オープンイノベーションコミュニティー**

問題が複雑かつ技術領域の検討がついていないときに適している

これらと、従来の知的財産権に基づいた契約を含めた4つの手法は相互に関連しており、1つのプロジェクトを推進する際に複数の組み合わせが発生する場合がある。例えば解決策の方向性が不明確な時にオープンイノベーションコンテストを適用し、協業パートナー候補を募集する。結果として有望なパートナーが見つかった場合において、個別にオープンイノベーションパートナーシップを締結できる。

上記のように手法にはさまざまなものがある。**これらはオープンイノベーション活動を実施する企業が採用している企業戦略や事業戦略、研究開発戦略、また企業文化によって相性がよいものと悪いものがあるため、試行錯誤を通じて自社に最適な組み合わせを見つける必要がある。**つまり競合他社がオープンイノベーションセンターを開設したからといって、単純に模倣すればよいわけではない。

オープンイノベーション仲介サービス

　オープンイノベーション仲介業者を「オープンイノベーションの手法やソフトウェアの提供・外部コミュニティーへのアクセス権の付与・オープンイノベーションの教育／プロセス導入支援を通じて企業のオープンイノベーション活動を支援する組織」と定義する。英語ではOpen Innovation IntermediaryやOpen Innovation Acceleratorの用語が当てられている。本書では、仲介業者が提供しているサービスを「仲介サービス」と呼ぶことにする。

　業種を問わず仲介的なサービスを提供する企業には内外から情報が集まりやすい。また多数の企業から業務を請け負うことになるため、大規模な試行回数を通して、探索に関する知見が蓄積されていく。**そのため、企業は仲介業者を適切に活用することで、オープンイノベーション活動を効率よく推進できる。さらにはその仕事ぶりを見ることで、自社の活動に役立つノウハウが学べる可能性がある。**

オープンイノベーション仲介業者を取り巻く状況

　アーヘン工科大学のPillerは仲介業者の研究の第一人者であり、これまでに世界の主要な仲介業者を取り上げた包括的なレポートを2010年・2013年・2020年の3回報告している。2020年度版では107社が取り上げられているが、その中で日本国内に拠点をおいて活動しているところはAgorize・Inospin・NineSigma・SpecialChem・yet2.comの5社しかない。後述する国内だけで展開している企業は含まれていない。[*3]

本報告によると、世界の仲介市場は2015年に大きな盛り上がりを見せた後で、現在は成熟段階にある。5年前と比較すると、4割の仲介業者が買収されたか、もしくは現時点で存在しておらず、AIを活用した新規参入者が出てきている。主にオープンイノベーションコンテスト型のサービスが提供されており、前回の2013年度の調査と比べてプロジェクト単価が大きく低下している。

また末尾に全107社をアルファベット順に紹介したインデックスが付いており、企業概要・提供しているサービス・各サービスの大まかな価格帯・顧客プロファイル・業界プロファイルなどが記載されている。これらはグローバルで仲介業者を選定する際の参考になる。**ちなみに本報告では、オープンイノベーションを成功させるうえで、特定の業務に対する適切な仲介業者の選択の重要性が強調されている。**

次に国内の状況を見てみると、2010年ごろから新しい仲介業者／サービスが生まれてきた経緯がある。現時点では少なくとも数十社は存在していると考えられる。Pillerは2013年度の調査報告で、180社以上の仲介業者が活動していると述べていた。現在の国内での業者数を踏まえると、世界中で500〜1000社は存在しているのではないだろうか。

＊3　Diener, Kathleen and Frank T. Piller [2019], The Third RWTH Open Innovation Accelerator Survey - The Market for Open Innovation: Collaborating in Open Ecosystems for Innovation, RWTH Aachen University.

国内で活動しているオープンイノベーション仲介業者

第2章でWFGM（Want, Find, Get, Manage）モデルについて説明した際に、シーズそのものを探すのではなく、シーズを保有する協業パートナーを探すほうがよいことを説明した。これは探索したい協業パートナーの種類によって活用すべき仲介業者が異なるためである。

☑ **協業パートナーの種類：個人・アカデミア・ベンチャー企業・中小企業・大企業・海外（の個人／アカデミア／ベンチャー企業／中小企業／大企業）**

　それぞれを探索したい場合に活用できる国内の仲介業者・サービスの例は以下の通り。

☑ **個人**

パーソルキャリア：HiPro Biz

https://biz.hipro-job.jp/hipro_biz.entry/service/

ビザスク：ビザスクinterview

https://visasq.co.jp/service/interview

ユーザベース：SPEEDA エキスパート・インタビュー

https://jp.ub-speeda.com/expert-research/

☑ **ベンチャー・スタートアップ企業**

ゼロワンブースター：ベンチャー共創プログラム

https://01booster.co.jp/program/openinnovation

Creww：Creww Growth

https://growth.creww.me/

eiicon：AUBA

https://auba.eiicon.net/

☑中小企業

ケイエスピー：技術スカウトサービス

https://www.ksp.co.jp/service/matching/scout.html

中小企業基盤整備機構（中小機構）：ジェグテック

https://jgoodtech.smrj.go.jp/pub/ja/

リンカーズ：Linkers Sourcing

https://corp.linkers.net/service/ls/

☑海外

Agorize：オープンイノベーションチャレンジ

https://www.agorize.tokyo/

NineSigma：テクノロジーサーチ

https://ninesigma.co.jp/service/technology-search/

yet2.com：技術スカウティング

https://www.yet2.com/jp/services/technology-scouting/

　上記は思いついたものを書き出し、五十音／アルファベット順に並べてみただけで、取り立てて意味はない。これら以外にも多数の仲介業者／サービスが存在している。なお、アカデミアの研究者や他の大企業に焦点を当てたサービスは現時点で見当たらないが、中小企業を対象としたサービスなどで同時に探索できる。海外を探索する場合には、上記以外に国内で活動していない仲介業者も検討することが望ましい。

挙げたものの多くは民間企業であるが、仲介サービスの中には中小機構：ジェグテックのように公的機関によって提供されているものもある。その他の例としては、日本貿易振興機構（ジェトロ）：JETRO e-Venueや各地の商工会議所によるビジネスマッチングサービスなどがある。これらは無料であるため気軽に使える。また、三井住友銀行：Biz-Createや三菱UFJ銀行：Bizryも使用にあたって費用が掛からない。

オープンイノベーション仲介業者／サービスの使い分け

例えば国内で中小企業を探索する場合、探索に慣れることが目的なら、無料で提供されている中小機構：ジェグテックを使うとよいだろう。十分な予算はあるが工数が限られているなら、より丁寧な支援が受けられるケイエスピー：技術スカウトサービスやリンカーズ：Linkers Sourcingが便利である。一方で各サービスは手法やネットワークに違いがあるため、案件に適したところを見定めていく必要がある。

仲介業者／サービスを使い分けるスキルは、オープンイノベーション活動の成否に大きく影響する。各サービス共に一定回数を使ってみないと感触がつかめないため、相当量の経験が必要となってくる。何も考えず1つのところを使い続けるだけでは、成長が見込めない。各仲介業者は他社のサービスの特徴を知らないし、知っていても教えてはくれない。最適ではない案件を相談しても、大抵の場合はそのまま受けてもらえるだけである。

　現時点で企業のオープンイノベーションチームにできることは、実際にサービスを使って試行錯誤する以外には、他の企業との情報交換くらいしか選択肢がない。ただし他社から情報を得るためには、相手が魅力的に思う情報をこちらも提供できないと難しい。そのためにもまずはサービスの利用から入る必要があるが、少なくない費用が掛かることから、資金力のある大企業が圧倒的に有利である。

国内のオープンイノベーションを
活性化する仕掛け

　本章で見てきたように企業のオープンイノベーション活動において、仲介業者／サービスを適切に使い分けられるかどうかは、重要なポイントである。オープンイノベーションを資金や人材などのリソース面で制約がある中堅以下の企業にまで広げることを考えた場合、政府／自治体・アカデミアなどが仲介業者の実態に関する包括的な調査を実施したり、選択に役立つツールを提供したりすることが望まれる。

　現時点でオープンイノベーション・ベンチャー創造協議会（JOIC）が、11の仲介業者の取り組みを紹介するコンテンツをウェブ上で提供している。しかしながら各社が提供した情報が公開されているだけで、使い分けには活用し難い。一方でハーバード大学イノベーションサイエンス研究所（LISH）が提供している仲介サービスの選定ツールは、条件を入力することで該当するサービスを絞り込むものになっている。

- JOIC：新規事業創出を支援する事業者の取り組み紹介
  https://www.joic.jp/accelerater-interviews_v01.
  html#contents-head1
- LISH：FIND A CROWDSOURCING PLATFORM
  https://innovationscienceguide.org/crowdsourcing-
  platforms

自社に適したオープンイノベーションの手法と仲介サービスの見つけ方

　活動を立ち上げた初期の時点では、手掛かりがなく、どうすればよいか迷うかもしれない。まずはオープンイノベーションコンテストのような広く使われる手法やよく認知されている仲介サービスを活用するとよい。この段階では考えていても仕方がないので、とりあえずいろいろなものに手を出してみる。1つの案件で同時に複数の手法やサービスを使えば、違いがわかってよいかもしれない。

　さらに並行して他社のオープンイノベーション活動の事例を集めていく。**一般的に規模が大きい企業ほどオープンイノベーション活動の打ち手が多くなるため、先進的な企業ばかりに注目しても得るものは少ない。小規模な企業や類似した文化を持った企業のほうが参考になる。また業界によって各手法の普及度合いが異なっており、あえて自社から遠いところの取り組みを見ると、競合他社と差別化した活動を展開できる可能性がある。**

　ある程度習熟してくると、探索ニーズに対して少数の手法や仲介サービスで対応できるようになってくる。ここまで来ると余裕が生まれることから、より難易度の高いものに挑戦するとよい。イノベーションを取り巻く環境は移り変わりが早いため、学習し続ける姿勢が求められる。また手法との相性には実施する担当者の好みや得意／不得意も関わってくる。そこで担当者の入れ替わりは、活動を大きく見直す機会と捉えたい。

Column

ICT・製薬・一般消費財業界の特徴

　オープンイノベーションが特に普及している中から、特徴のある3業界を紹介したい。

　ICT業界では製品やサービスの開発で多数の特許が生まれるため、競合他社との連携や標準化の動きが活発である。またオープンソースの手法が生み出された業界で、組織や個人の直接的な利益を越えた取り組みが盛んに行われている。

　製薬業界は政府による規制の影響で企業間の違いが少ない特徴を持ち、多組織が参加する協業が広く普及している。サイエンス型産業であることから、アカデミアとの連携が活発である。

　一般消費財業界では、ブランド認知などのマーケティング分野でのオープンイノベーション活動が見られるところに特徴がある。研究開発の枠を越えてオープンイノベーションを適用するうえでの参考となるだろう。

オープンイノベーションの実践：
協業プロジェクトの
成功に関わる要素とは？

基本編の最後に、社内の探索ニーズの収集から始まる一連のステップを詳しく見ていく。実際に活動を実施する際に役立つWFGMモデルにおける各フェイズでの考え方やノウハウを伝える。

支援対象組織

第2章で説明したWFGM（Want, Find, Get, Manage）モデルのポイントを再掲する。

☑Want：何が必要か？

☑Find：どのように探索するか？

☑Get：どのように交渉するか？

☑Manage：どのように協業プロジェクトを管理するか？

図2-2
（再掲）
**オープンイノベーション活動の
成果を左右する3つのフェイズ**

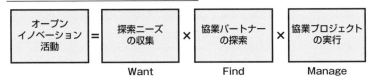

探索ニーズは以下の組み合わせから定義される：

☑シーズの種類：ノウハウ・アイデア・技術・製品・事業

☑協業パートナーの種類：個人・アカデミア・ベンチャー企業・中小企業・大企業・海外（の個人／アカデミア／ベンチャー企業／中小企業／大企業）

オープンイノベーションチームがWFGMモデルでオープンイノベーション活動を推進するにあたって、最初に「協業パートナーの探索ニーズを集める支援対象組織」を決める必要がある。必ずしも研究者や製品／事業開発者に限る必要はなく、製造・マーケティング・営業・サービスなどバリューチェーンのあらゆる段階に加えて、法務知財部や総務部などの管理部門も含まれる。

とはいえ、社内のあらゆる部署を支援することは限られたリソースを考慮すると現実的ではない。特にチームの立ち上げ期は協力が得られて重要度が高い対象組織に注力したい。オープンイノベーションに興味があったり、数字などのプレッシャーがきつくて誰でもよいから助けてほしいと思ったりしているところは積極的に協力してくれる。また重要度が高い部署やプロジェクトに関わっている場合、成功した際のインパクトが大きい。

　対象を絞り込んだ活動を続けていけば、チームのスキルが向上するのと並行して対応した事例がたまってくる。他社のものと比べて身近に感じられる実際の自社支援事例は、社内の人々のオープンイノベーションについての理解の浸透とチームに対する信頼性の向上に大きく役立つ。それらを活かして徐々に支援対象組織を拡大していくとよい。もちろん工数が増えていくので、チームの増員も検討する必要がある。

WFGMモデルのグッドプラクティス

　2004年の著作でWFGMモデルを紹介したSlowinskiは、2010年に数百件のオープンイノベーションプロジェクトの観察から見出したグッドプラクティスをまとめた論文を報告している。[*1]

☑Wantプラクティス1：戦略企画のプロセスで外部リソースも考慮する
☑Wantプラクティス2：詳細をまとめたWant文書を作り、優先

＊1 Slowinski, Gene and Matthew W. Sagal [2010], "Good Practices in Open Innovation," Research-Technology Management, 53(5), 38-45.

順位を付ける

☑Wantプラクティス3：構造化されたプロセスで、「作る／買う
　／協業する」を決める

☑Findプラクティス1：最初に社内を探索する

☑Findプラクティス2：Findを双方向のプロセスとして扱う

☑Findプラクティス3：Findで集めた情報を使って、Want文書を
　修正する

☑Getプラクティス1：社内の関係者の方向をそろえ、維持する

☑Getプラクティス2：構造化されたプロセスで、社内の企画・
　交渉を行う

☑Getプラクティス3：お互いが納得できる合意を形成する

☑Manageプラクティス1：キックオフミーティングで、意思決
　定やマネジメントシステムをすり合わせる

☑Manageプラクティス2：キックオフミーティングで、業務の
　進め方を確認する

☑Manageプラクティス3：揉めたときの解決方法について、両
　者のマネージャーを教育する

　以下ではこれらを参考にしながら、各フェイズについて掘り下
げていく。

Wantフェイズ：探索ニーズの収集

　まずは支援対象組織から協業パートナーの探索ニーズを収集す
る。研究開発部門であれば特定の実験技術を有するアカデミアの
研究者を、製造部門であれば特定の製品を持ったサプライヤーを
求める場合がある。管理部門であれば特定のビジネスプロセスを

効率化するサービス会社かもしれないし、営業部門が特定地域への進出を考えている場合は当該地域の商習慣に詳しい個人を探すこともあり得る。

　以上はいずれも外部からシーズを導入するアウトサイドイン型の活動に相当するが、逆向きのインサイドアウト型の活動にも同様に対応できる。例えば開発した技術シーズを導出したい場合、用途仮説を持った個人や製品を購入してくれる大企業を探索することになる。

　探索ニーズは大きく分けて、戦略レベルのものとプロジェクトレベルのものがある。前者は企画のプロセスから、後者は個別のプロジェクトに焦点を当てたやり取りから出てくる。後者の場合は要件が細かく定まっていることが多く、それに沿って対応することになる。一方で前者の場合は自由度が高く、オープンイノベーションチームにもアイデアを求められるため、腕の見せ所である。

図4-1　オープンイノベーションチームの業務の流れ

（著者作成）

　よくある話であるが、支援対象組織がオープンイノベーションに慣れていない場合には、単純に探索ニーズの提出を呼びかけてもうまくいかないことが多い。これは社外を使うという発想がないため、当然のことである。そこで担当者が業務を行ううえで持っている課題を聞き取り、オープンイノベーションチームが積極的

に探索ニーズを掘り起こすコンサルティングが必要となってくる。

　特定された探索ニーズは文書の形に落とし込んでおく。文字として残すことで、オープンイノベーションチームとして管理がしやすくなり、また探索時の外部とのコミュニケーション文書の叩き台として活用できる。記載内容としては以下のようなものが挙げられる。

☑探索ニーズの名称
☑背景やこれまでの検討内容
☑求めるシーズと要件
☑開発段階
☑特に期待するシーズ
☑対象とならないシーズ
☑協業パートナーの種類
☑協業形態
☑テーマの重要度
☑探索の予算
☑協業プロジェクトの予算
☑協業プロジェクトの期間

Findフェイズ：協業パートナーの探索

　集まった探索ニーズが少数であれば、順に対応していく。多ければ優先順位をつける必要がある。オープンイノベーション活動の初期には、探索の経験を積むために簡単な案件を優先するとよい。ただしそれらは成功した場合のインパクトが小さいことから、

続けていくと小間使い的な立ち位置になってしまう。そこで、成功した際に周囲から評価されるかどうかという視点を取り入れていく。

　一般的な話として研究寄りのものは金銭的な貢献につながるまでの時間軸が長く、開発や製造に関するものは短い傾向にある。前者は後者と比べてシーズに求める要件が緩く、協業パートナーを見つけやすい。しかし、成果を事業部に引き渡す研究所のような内部顧客を持つケースの場合、協業プロジェクトがうまくいったとしても、その後の移管で失敗する可能性があるため難しい。

　社外パートナーとの協業プロジェクトは、社内のものと比べて難易度が高い。これをうまくハンドリングするには、担当者に相応のスキルが求められる。よって、表立って入れると問題になる可能性があるが、探索ニーズに優先順位をつける際には、ニーズ元の担当者の能力や性格なども含めて判断したい。また人的側面という意味では、担当者の異動の可能性も考慮しておきたい。

　優先順位をつけた後は、特定のシーズを持った協業パートナーを自ら、もしくは仲介業者を活用して探索する。その際に第3章で説明したさまざまなオープンイノベーションの手法やサービスを使い分けていく。探索時には仲介業者や協業パートナーとコミュニケーションするための文書を作成することになるが、秘密情報に配慮しつつも内容が理解できてかつ魅力的に感じるものを準備しておく。

　見落とされがちなことであるが、社外より前にまずは社内に関

連するシーズがないかを調べるべきである。しかし、実際に社内を探索するには全社横断的なデータベースがないと難しく、ない場合に作ろうとしてもオープンイノベーションチーム単体では手に負えない話でもある。取り得る手段としては、個人のネットワークを使ったり、社内での情報共有掲示板や各種ネットワークツールを活用したりするくらいだろうか。

社外を探索する場合は、国内から始めるのが常道である。Oomsはいろいろな次元で適度に距離が近いパートナーとの協業のほうがうまくいくことを報告している。よって国内のパートナーとの協業の成功確率がより高くなるはずである。国内でも自社の近くで見つけられればそれにこしたことはないが、多くの仲介サービスでは特に地域を限定していないため、あまり気にしてもしょうがない。[2]

海外を探索する際は、「グローバルで広く浅く」と「特定地域で狭く深く」を組み合わせるとよい。グローバルを対象とした仲介サービスはさまざまあるが、実際に探索できる範囲はごく一部と思われる。特定の領域を深く探索したいなら、地域に根差した仲介業者をおすすめする。とはいえ、すべての地域をカバーすることは不可能であり、自社が注力する分野に適したところを見つけておくことが望ましい。

具体例として、私がアドバイザーを務めるスイスには以下の特徴がある（もちろんバイアスがかかっているので、読者自身が真

---

[2] Ooms, Ward and Roel Piepenbrink [2020], "Open Innovation for Wicked Problems: Using Proximity to Overcome Barriers," California Management Review, 63(2), 1-39.

偽を判断してほしい）。

☑**強みを持つ技術分野**

　健康／ライフサイエンス・ICT・金融・エネルギー／天然資源
／環境／マイクロ／ナノテクノロジー・農業／食品など

☑**スイスで探索すべき理由**

・日本の事業会社の多くが注力している分野で、良質なシーズ
　がある

・信頼関係を築きやすいために、協業プロジェクトの成功確率
　が高い

・国全体で仕組みを構築しており、シーズを探索しやすくなっ
　ている

　なお、前述したグッドプラクティスの中に「Findプラクティス
2：Findを双方向のプロセスとして扱う」があるが、これが意味
するところを補足説明したい。探索時のフィードバックを受けて、
探索ニーズの要件を修正することがある。**例えばあまりに要件が**
緩すぎて多数の候補が見つかったり、逆に厳しすぎてまったく見
つからなかったりする場合である。こうした際には担当者と議論
しながら要件を調整していく。

Column

近接性の6つの次元

　Oomsはヘルスケア分野のサービスイノベーションの導入事例を通して、近接性のフレームワークの有効性を示した論文を報告している。近接性の6つの次元は以下の通り。[*2]

☑ **地理的近接性**
　物理的な距離

☑ **制度的近接性**
　国や地域のような特定の行政単位によって課せられる公式／非公式なルールや規制・文化的な側面の類似度

☑ **社会的近接性**
　知識分野・専門組織・その他のソーシャルコミュニティーのネットワーク内における埋め込みの程度

☑ **組織的近接性**
　組織的な目標・組織に特有の公式／非公式なルールや規制・組織文化の類似度

☑ **認知的近接性**
　思考様式・専門用語・物事の進め方や概念の類似度

☑ **個人的近接性**
　個人の性格特性・行動パターンの類似度

　社内の場合は地理的・制度的・組織的・認知的な近さがあり、社外でも国内の場合は地理的・制度的な近さは保証されている。本フレームワークは、海外で探索する地域を選ぶ際にも活用できる。

第4章

Findフェイズ：協業パートナーの選定

　複数の候補が見つかれば、比較検討しながら最終的な協業パートナーを選定する。企業に対する近さと課題に対する技術的な適性を各要素に分けて数値を算出し、優先度を付けていった報告もあるが、手間を考えると現実的ではない。類似の協業案件が繰り返し発生するような状況でなければ、大まかな方針を作っておいてケースバイケースで定性的に判断していくだけでよいだろう。[*3]

　最初の手掛かりとして、Colomboは協業プロジェクトの種類によって判断する主体を変えるべきことを主張している。企業が顧客・サプライヤー・競合他社など商業化に近いところで協業する場合は、戦略的にコントロールするため中枢で判断する。一方で初期的な段階でアカデミアと協業する場合は担当者のほうが知識を有効活用できるため、現場のマネージャーや研究者に任せるとよい。[*4]

　なお、個人的な相性も含めて、お互いに信頼関係を築けそうかという視点は重要である。特に相互にやり取りをしながら中長期に渡って取り組む協業プロジェクトでは、信頼の有無が生産性に大きく影響する。一方で特定の機能を持った量産化済みの材料を探すような場合は契約を締結するだけで協業が完了するため、特に気にする必要はない。

＊3　León, Gonzalo, Alberto Tejero, José N. Franco-Riquelme, John J. Kline and Raquel E. Campos-Macha [2019], "Proximity Metrics for Selecting R&D Partners in International Open Innovation Processes," IEEE Access, 7, 79737-79757.

＊4　Colombo, Massimo G., Nicolai J. Foss, Jacob Lyngsie and Cristina Rossi Lamastra [2021], "What drives the delegation of innovation decisions? The roles of firm innovation strategy and the nature of external knowledge," Research Policy, 50(1), 1-15.

　協業プロジェクトは担当者のモチベーションが高くないと成功しない。よって協業パートナーの選定に明らかな正解がない場合にはできる限り担当者の意見を尊重したい。どうしても職位が上の者の判断が優先されがちではあるが、オープンイノベーションチームとしては担当者の判断を押しておきたいところである。それによって担当者との信頼関係を深められる可能性もある。

Getフェイズ：協業条件の交渉

　オープンイノベーションチームを協業パートナーの探索を担う部門と位置づけるなら、候補を見つけた後の業務は副次的なものとなる。Slowinskiによると、アライアンスマネージャーを置いてGetフェイズ以降を担当させているところもあるらしい。これによって知見を集約できるメリットがあるが、相当数のプロジェクトがない限りはコストに見合わないと思われる。

　一方で知財法務部が出身のメンバーが居れば、アドバイスをしたり契約交渉を代行したりするなど、積極的に関わる意味がある。実務までは行わないにしても、個人的な関係性を使ってニーズ元の担当者の意向を踏まえた調整ができる可能性も出てくる。またデジタル技術などが絡むと知的財産権の取り扱いにとりわけ専門的な知見が求められることになるが、適切な外部の専門家を見つけてくるような支援もできる。

　実際の交渉においては、協業パートナーとの合意の前に、社内・パートナー内それぞれでの組織内合意が前提となるところが難しい。パートナーに関して貢献の余地は少ないが、社内に関しては

オープンイノベーションチームとしても、できる限りのことはしたいところである。

　このGetフェイズをうまく乗り切るために役立つポイントを2つ、筆者の経験を踏まえて紹介したい。**もし類似の協業が多数発生するなら、従来の契約書の簡易版を準備しておくことでやり取りを短縮できる。また最初から長期の契約を締結するのではなく、実現可能性を検証するための短期の契約から入るとよい。その場合は成果に関する取り決めなどを先送りできるし、見込み違いの協業となるリスクを低減できる。**

Manageフェイズ：協業プロジェクトの実行

　Getフェイズと同じくオープンイノベーションチームの主業務からは外れるため、担当者の部署に任せることを基本にしたい。仮にプロジェクトマネジメントの専門性があったとしても、大きな工数が取られるため、よほどリソースに余裕がないと対応が難しい。一方で深く入り込めば協業プロジェクトの詳細を把握できることから、金銭的な成果につながった場合の報告時に説得力が増す可能性もある。

　なお、本フェイズはこれまでに3つの段階を越えてきて、かつ相応のリソースを消費する活動であることから、失敗すると関係者にとって大きな損失となる。**お互いに努力した結果として成果につながらない場合は仕方がないが、協業パートナーのモチベーションの低下によるものは可能な限り避けたいところである。オープンイノベーションチームとしてコミュニケーション面には**

細心の注意を払っていきたい。

ナレッジマネジメント

　本章ではWFGMの4つのフェイズを一通り見てきたが、最後に組織学習の観点で考えてみる。ニーズを引き出すための課題解決コンサルティングやオープンイノベーションの手法／仲介サービスの使い分けに必要な能力は、個人によってばらつきがある。オープンイノベーションが組織に根付いていない段階においては属人的に業務を回しがちであるが、持続性が担保されない。

　ここでオープンイノベーションチームを率いるマネージャーや担当者に注目したい。能力不足の場合、目の前の成果を出そうと必死になったり、成果につながらない業務にかまけたりすることで組織に知識を根付かせることを考える余裕がないと思われる。またチームとしてのパフォーマンスが低いために組織内で注目されず、再編のタイミングで潰されてしまう可能性がある。

　一方で有能である場合にも問題がある。現時点では恐らく多くの企業で、オープンイノベーションチームの担当者がそのまま昇進していくキャリアパスが準備されていないと思われる。その場合は一時的に有能な担当者やマネージャーが出てきたとしても、成果を生み出すがゆえに昇進し、他の部門に異動してしまうことになる。結果として個人として学んできた知見が失われてしまい、オープンイノベーション活動が停滞してしまう。

　このようなリスクを低減するためには、意識して知見を組織に

貯めていく工夫が必要となる。具体的には、①オープンイノベーション活動の説明資料の整備、②課題解決コンサルティングに関するノウハウの蓄積、③探索ニーズの分類と対応のパターン化、④手法や仲介業者／サービスの特徴をまとめたリストの作成、といったところだろうか。うまく設計できれば、人の入れ替わりがあっても高いレベルで業務を回し続けられるようになるだろう。

　しかし、担当者やマネージャー個人の目線でみれば、話は異なってくる。自身が所属する間だけ業務が回っていれば問題ないし、そもそも属人性をなくすことで組織から必要とされなくなる恐れもある。これは自然なことであるため、人事評価に関する目標設定などを通して、知識の共有に対する適切なインセンティブを設けておくことが望ましい。

オープンイノベーション
コンテスト（概要）：
効率的な探索に欠かせない
基礎知識

第5章と第6章ではオープンイノベーションの手法の中でも重要性が高いオープンイノベーションコンテストについて説明する。前半部である本章では、定義や歴史、その他類似のキーワードとの比較を行う。

オープンイノベーションコンテストの定義

　オープンイノベーションコンテストを「決められた期間において不特定多数の潜在的解決者からシーズを募り、提案の評価を行った後に具体的な成果を生み出すアクションにつなげる手法」と定義する。2006年にPillerはユーザーイノベーションの観点からオープンイノベーションコンテストに関する報告を出しており、オープンイノベーション分野で引用回数が多い論文の1つとなっている。[1]

　本報告では「アイデアコンペティション」の名称で、以下のように説明されている。

> Idea competitions build on the nature of competition as a means to encourage users to participate at an open innovation process, to inspire their creativity, and to increase the quality of the submissions. When the contest ends, submissions are evaluated by an expert panel. Users whose submissions score highest receive an award from the manufacturer, which is often granted in exchange for the right to exploit the solution in its domain.
>
> (アイデアコンペティションでは、競争を取り入れることでユーザーのオープンイノベーションプロセスへの参加を促し、創造性を刺激し、提案の質を高めている。コンテスト

＊1　Piller, Frank T and Dominik Walcher [2006], "Toolkits for idea competitions: a novel method to integrate users in new product development," R&D Management, 36 (3), 307-318.

が終了すると、専門家が提案を評価する。最高得点を獲得
したユーザーには、提案された解決策の当該分野における
利用権と引き換えに、メーカーから賞が授与される。：筆者
訳）

**オープンイノベーションコンテストは求めているシーズを保有
しているか否かを協業パートナー自身に判断させるという意味で、
極めて効率的に探索が行える。さらに、わかりやすい仕組みと低
予算で行えるために、オープンイノベーション活動に欠かせない。**
既存のネットワークを越えて不特定多数にアクセスできる本手法
を自在に活用して初めて、本格的にオープンイノベーションを取
り入れていると言える。

オープンイノベーションコンテストの歴史

　コロンブスがアメリカ大陸を発見した大航海時代において、海
上で経度を測定する方法がないために船舶の海難事故が多発して
いた。それを解決するため1714年にイギリス議会が、海上にお
いて船舶の位置の経度を正確に測定する方法を開発した者に多額
の懸賞金を与える「経度法」を制定した。これこそまさにオープン
イノベーションコンテストである。本件では紆余曲折はあったも
のの、時計職人のハリソンが賞金を獲得している。

　その他にもナポレオン3世がバターの代用品を求めた発明コン
テストなど、古くからさまざまな例がある。とはいえ一企業の立
場からすると、不特定多数の問題解決者に効率よく認知させるこ
とが難しかった。例えば新聞広告では高額の費用が掛かるため、

実施にあたってのハードルが高い。それがデジタル化により、オープンイノベーションを実現するための有力な手段として生まれ変わった。

クラウドソーシングとの違い

クラウドソーシングはcrowd（群衆）とsourcing（業務委託）を組み合わせた造語であり、2006年にWIREDの編集者であるJeff Howeによって下記のように定義されている。[2]

> Crowdsourcing represents the act of a company or institution taking a function once performed by employees and outsourcing it to an undefined (and generally large) network of people in the form of an open call.
> （クラウドソーシングとは、企業その他の組織が、かつて従業員が行っていた機能を公募という形で不特定多数の（一般的には大規模な）ネットワークにアウトソーシングすることを指す。：筆者訳）

　その後もさまざまな人々が異なる表現で定義しているが、おおむね「（主に組織外の）不特定多数の人々に公募を通して業務を委託する」という点で同意が得られている。従来のアウトソーシングとの違いは「不特定多数を相手に公募を通して」行われる点であり、それを実現したのはインターネットの発展による情報の共有化である。結果として実施主体は、安価に情報や成果物などのリ

---

[2]　Howe, Jeff [2006], "Crowdsourcing: A Definition," Wired Blog Network, Crowdsourcing.

ソースを収集できる。

　クラウドソーシングには単純作業を細分化して不特定多数に発注するマイクロタスキングや不特定多数から資金を調達するクラウドファンディングも含まれる。オープンイノベーションコンテストもクラウドソーシングの中の1分類と考えるとよい。海外の主にオープンイノベーションコンテストを扱った議論でも、クラウドソーシングという言葉が当てられる場合も多い。

テクノロジースカウティングとの違い

　Dienerはオープンイノベーション仲介業者の価値創出活動を調べた研究で、協業パートナーの探索方法を2つに分けている。[3]

☑ **直接サーチ**
　対象となるタスクに関連する情報や協業パートナー候補を自身で探索する。テクノロジースカウティング。

☑ **代理サーチ**
　対象となるタスクに貢献できるかどうかを問題解決者自身に判断させる。オープンイノベーションコンテスト。

　直接サーチは解決策を定義したうえで探索する従来から広く行われてきた手法であり、これを「テクノロジースカウティング」と呼ぶことにする。一方の代理サーチはオープンイノベーションコンテストのような手法を指している。前者では求めている協業

＊3　Diener, Kathleen, Dirk Luettgens and Frank Thomas Piller [2019], "Intermediation for Open Innovation: Comparing Direct Versus Delegated Search Strategies of Innovation Intermediaries," International Journal of Innovation Management, 24(04), 1-20.

パートナーの探索を企業自身が行うことから能動的な探索、後者では要件に対する該当性を協業パートナー自身に判断させることから受動的な探索と言える。

　直接サーチは特に離れた分野の知識が対象となるとき、問題と解決策の理解を共通化するための候補者との密なやり取りが必要である。また代理サーチでは、問題設定を適切に行うことが成功の鍵である。一般的に代理サーチのほうが直接サーチよりも効率的に協業パートナーを探索できる。加えて問題との適合性の判断を任せることから、探索が問題提供者や仲介業者のスキルに左右されないというメリットもある。

　2021年に仲介業者のyet2.comのCEOとHeroXのCEOがテクノロジースカウティングとオープンイノベーションコンテストについて議論している動画がある。そこでは両手法が相補的な関係にあるため、組み合わせるとよりよい結果が得られることが強調されている。[4]

☑オープンイノベーションコンテストで多様な解決策の領域を同定した後で、テクノロジースカウティングで有望な企業や技術を探索する

☑最初にテクノロジースカウティングで実績があって有望な企業や技術を抽出し、問題を見直した後でオープンイノベーションコンテストを実施する

---

[4]　Kassa, Kelly [2021], "Should you Choose Tech Scouting or Crowdsourcing for your Open Innovation Project?," https://www.yet2.com/should-you-choose-tech-scouting-or-crowdsourcing-for-your-open-innovation-project/.

オープンイノベーションコンテストに関わるプレイヤー

　オープンイノベーションコンテストは以下3種類のプレイヤーから構成されている。

☑問題提供者：問題に対する解決策を求める
☑問題解決者：解決策を提案する
☑仲介業者：問題提供者と問題解決者をつなぐ

　問題提供者が自身で実施する場合には、仲介業者の役割を兼ねることになる。

　問題提供者のモチベーションは自身が抱える問題に対する解決策を得ることにある。仲介業者のモチベーションは両者のマッチングから収益を得たり、公的機関の場合にはマッチングすること自体が組織目標の達成に寄与したりすることにある。一方で問題解決者が参加する動機だが、取り組みを構成するうえで必要不可欠であるため、その理解は重要である。

　アイデアマネジメントに関するソフトウェアベンダーのWazokuのCEOと仲介業者であるInnoCentiveの創業者の著作にオープンイノベーションコンテストで受賞した問題解決者の体験集があり、より多くの問題解決者を惹きつけるための手掛かりが得られる。個人によって違いはあるものの、賞金のような外発的動機だけでなく、自身の達成感といった内発的動機に対する働きかけが重要であることが明らかにされている。[5]

＊5　Hill, Simon and Alpheus Blingham [2020], One Smart Crowd: How Crowdsourcing is Changing the World One Idea at a Time, independently published.

☑ 挙げられているモチベーションの例は以下の通り

・賞金が欲しい

・受賞したことを活かしてよい仕事に就きたい

・受賞しなかったアイデアに基づいて特許を出願したい

・専門分野の知識を活かしたい

・以前関わった仕事の知識を活かしたい

・現職で必要とされていない知識を活かしたい

・もともと持っていたアイデアを実現する機会を待っていた

・研究補助職でイノベーションに携わる機会がない

・学生でイノベーションに携わる機会がない

・問題解決能力を認められたい

・専門分野外の問題について考えることでアイデア創出力を養いたい

・専門分野外の知識を得ることが楽しい

・問題を解くこと自体が面白い

・解決策を見つけて満足したい

・気晴らしをしたい

・目の前の仕事から逃避したい

・他人と競争して勝ちたい

・自分の生活に関わる問題を解決したい

・実用的な問題の解決に貢献したい

・人々の生活に大きな違いを創り出したい

・科学コミュニティーに貢献したい

・経済的に恵まれない国の人々を助けたい

・誰かのために貢献したい

Column

組織内オープンイノベーションコンテスト

　オープンイノベーションの定義上、組織外を対象として実施するオープンイノベーションコンテストが基本であるが、本手法は組織内でも活用できる。社内の問題解決者は多様性に劣ることから、斬新なアイデアを生み出すことには向いていない。しかし一方で組織内の知識を背景として、短期的な問題に対する現実的な解決策が集まる利点がある。また知的財産権に関する懸念がないことも大きなメリットである。*6

　組織内のコンテストはしばしばイノベーション文化の醸成を目的として行われるが、安易な実施にはリスクが伴う。現場の社員は日々の業務に忙しく、念入りな準備をしなければ、参加すらしてもらえない結果に終わってしまう。アメリカ航空宇宙局（NASA）が運営する局内クラウドソーシングプラットフォームの事例によると、参加にあたって発揮したリーダーシップやスキルが直属の上司に報告されるようにすれば、参加へのモチベーションが向上するようである。*7

＊6　Ruiz, Émilie and Michela Beretta [2021], "Managing internal and external crowdsourcing: An investigation of emerging challenges in the context of a less experienced firm," Technovation, 106, 102290.

＊7　Gallus, Jana, Olivia S. Jung and Karim R. Lakhani [2020], "Recognition Incentives for Internal Crowdsourcing: A Field Experiment at NASA," Harvard Business School Working Paper Summaries, 20-059.

第 6 章

オープンイノベーション
コンテスト（実践）：
有望な協業パートナーの
選出方法

第5章から続く後半部の本章では、オープンイノベーションコンテストを実施する際の流れに沿って説明する。案件抽出の考え方を確認した後で、実際のステップを紹介していく。その後に導入方法と今後についての見解を示す。

オープンイノベーションコンテストに適した案件の抽出

　収集した探索ニーズから適した案件があれば、オープンイノベーションコンテスト活用を検討したい。例えば以下の場合である。

☑ **求めるシーズの存在が予想されるが、協業パートナーを特定できない**

- ノウハウ的なもので公開情報が少ない
- 新規分野で土地勘がない

☑ **多数存在する協業パートナー候補の中から、相対的にベターな相手を選びたい**

- 有望なアプローチが複数考えられる
- 有利な条件で協業したい

　求めるシーズの要件が明確に定まっている場合と、取り組みの方向性しかない場合がある。後者ではシーズ以上に協業パートナーの特性が重要となってくるため、あらかじめ絞り込んだ候補を対象として募集をかけるとよい。具体的にはコンテスト自体の認知活動をあえて限定したり、参加を広く呼びかけつつも特定の実績条件を求めたりするといった方法がある。選定される確率が上がるため、有望な協業パートナーが提案するモチベーションを高められる。

　募集時に社名を開示するか否かも重要なポイントである。匿名で行う場合は仲介サービスを利用する選択肢もある。関係者を説得する手間がかかることから、安易に非開示での実施を選びたくなる。しかし下記のようなデメリットもあるため、可能な限り開

第6章

示していきたい。また一度社名を公開して実施すれば、次回以降はハードルが下がる。

☑問題解決者のモチベーションの低下により、提案の質と量が低下する
☑オープンイノベーション活動のブランディング効果が得られない
☑対外的な事例紹介の材料として活用できない

オープンイノベーションコンテストの実践

以下の4つのステップに分けて説明する：
☑基本事項の設計
☑開始・認知活動を通じた提案の収集
☑提案の評価
☑協業パートナー候補との交渉・協業プロジェクトの開始

なおDahlanderが各段階における主要な決定事項をまとめており、参考になる。[1]

タスクの種類
問題解決者の母集団を使って解決すべき問題を学習するか、特定の問題に対する解決策を見つけるか
タスクの要件
求める提案の範囲が狭いか、広いか

---

*1 Dahlander, Linus, Lars Bo Jeppesen and Henning Piezunka [2019], "How Organizations Manage Crowds: Define, Broadcast, Attract, and Select," Managing Inter-organizational Collaborations: Process Views, 64, 239-270.

タスクの粒度

タスクをまとめるか、細かい要素に分解するか

チャネル

仲介業者を活用して母集団につながるか、自身で直接行うか

呼びかけ

一般公募か、招待制か

母集団のサイズ

対象とする母集団の規模が小さいか、大きいか

インセンティブの種類

賞金などの金銭的な報償を設定するか、キャリアの機会・知的
好奇心・フィードバックのような非金銭的な報償を活用するか

インセンティブの配分

報償や注意を母集団に均等に配分するか、少数の個人に集中さ
せるか

知的財産権の所有

選ばれた／選ばれなかった提案の知的財産権を貢献者が保有す
るか、主催した組織が獲得するか

評価基準

あらかじめ定められた指標で評価するか、審査員が判断するか

フィルタリング

審査員が判断する場合、その判断材料に母集団を巻き込むか、
巻き込まないか

選定回数

1回限りか、段階的に行うか

　まずは実施にあたっての準備を行う。具体的にはシーズの要件・
協業パートナーの種類（アカデミア／企業や国内／海外など）・モ

チベーションを上げる仕組み（賞金／研究開発費など）・協業の枠組み・採用する提案数・募集期間を検討する。集まる提案の質は定義されたシーズの要件に大きく依存する。また母集団の範囲を広げると、新規性のある提案が増えるとともに的外れなものも多くなる。

　募集要項の作成にあたっては、求めるシーズの要件を対象とする母集団の人々が理解できる言葉で可能な限り定量的に表現する。協業形態や予算などシーズ以外の要件に関しては、よほど譲れない条件以外は網羅的に書いておくとよい。それによって問題解決者がシーズに関する要件以外の理由で応募しない可能性を減らせる。また特に期待するものがあれば、具体的な例を記載しておく。

　募集準備が終われば、いよいよ協業パートナー候補への認知活動を通じた提案の収集である。本ステップではウェブサイト／プレスリリースによる告知や電子メール／郵便によるパンフレットの送付、SNS／メディア広告の活用など、さまざまな手法を用いて対象となる母集団に募集を認知させていく。また各種の問い合わせがあれば、適切な返答を通じて提案の収集につなげたい。

　注意すべき点として、認知活動を行えば行うほど、オープンイノベーションチーム以外の部署に社外から問い合わせが入る可能性が高まってくる。 大抵は問題ないが、まれに連絡がなかったことに対するクレームが来る場合があるため、そのようなところには事前に話を通しておきたい。その他に関係者の期待値をコントロールするためにも、小まめに提案の集まり状況などを報告しておくとよい。

すでに述べたように、必ずしも幅広い対象に働きかける必要はない。例えば特定の技術を持ったアカデミアの研究者を対象に募集する場合、論文データベースなどを使って候補者を限定できるなら、電子メールなどで個別にコンタクトしていくことも有効である。不特定多数に呼びかける方法と比べると、直接連絡するほうが相手に期待していることが率直に伝わって効果的である。

募集の締め切り日を過ぎた後は、第3のステップである提案の評価に移る。基本的にはニーズ元の担当者が判断すればよい。必要に応じて提案評価チームを編成する場合もあるが、意思決定を素早くするため、少人数が望ましい。最初に明らかに対象外となる提案を除き、残った提案者に対して適切な質問をして理解を深めていく。ちなみに選外となった提案でも組織内の他部門で活用できる可能性もある。

断りを入れる際には、将来の協業パートナー候補と考えて、丁重に扱うことに注意する。一方で必要以上に配慮する必要はない。Piezunkaは不採用となったアイデアへの対応が提案者に与える印象について焦点を当てた論文を報告している。[*2]

☑ 明確な不採用の連絡・その理由の説明文・提案者と類似したコミュニケーションスタイル（気さくな表現や敬語調などの文体の特徴）には正の影響がある
☑ 説明文の内容自体は、正負どちらの影響も与えない
☑ 不採用の通知であっても、アイデアに対する興味や感謝を示せ

[*2] Piezunka, Henning and Linus Dahlander [2019], "Idea Rejected, Tie Formed: Organizations' Feedback on Crowdsourced Ideas," Academy of Management Journal, 62(2), 503-530.

ば提案者との結びつきを強められる

☑特定の提案者との関係を構築する目的なら、興味が薄いアイデアを無理に採用する必要はない

　最後は交渉・協業プロジェクトの開始である。本ステップ以後は第4章のGet／Manageフェイズと同じように進めればよく、オープンイノベーションコンテスト特有のものはない。**並行して複数の交渉を進めていくと時間が掛かり長引きがちになるが、協業パートナーのモチベーションの低下につながる可能性があるため、注意しておきたい。**基本的には相手のほうから提案してくれたことに感謝しながら、ひたすら真摯に向き合っていくとよい。

オープンイノベーションポータルサイト

　続いては、オープンイノベーションコンテストを運用するうえでの話に移りたい。オープンイノベーションポータルサイトを「社外の組織が売り込みたいシーズを持っている場合に連絡可能なウェブ上の窓口」と定義する。立ち上げの際に社内の関係者を説得したり相応の構築費が掛かったりするものの、できてしまえば維持費を支払うだけでオープンイノベーション活動のプラットフォームとして運用できる。さまざまな活用方法があるが、そのいくつかを紹介したい。

　第1に期限を設けずにシーズを募集できる点が大きなメリットである。例えば中長期で求め続ける重点領域のシーズの要件を記載しておけば、新たに生み出された際に連絡してもらえる可能性が出てくる。また難易度が高く、成果が出るまでに時間が掛かる

インサイドアウト型のオープンイノベーション活動において、費用を掛けずに長期間の認知活動を継続して行える。

　第2に期限付きの募集を効率的に実施できる。仲介業者を活用してオープンイノベーションコンテストを実施する場合は相応の費用が掛かり、自社単独で実施する場合にはウェブページの作成などに煩雑な作業が必要である。その点ポータルサイトがあれば、実施するハードルが下がる。結果としてポータルサイト上で気軽に実施できると実施回数が増え、学習の促進につながるかもしれない。

　最後にオープンイノベーション活動を宣伝できる点も見逃せない。シーズの導入を目的としたアウトサイドイン型の活動では、協業パートナー候補であるシーズの保有者に自社のニーズを知ってもらう必要がある。しかしながら多くの企業が活動している状況では、個別の企業のニーズを覚えてもらうことには無理がある。気軽にコミュニケーションできるポータルサイトがあれば、その点を補えるかもしれない。

第6章

Column
オープンイノベーションポータルサイトの事例

　仲介業者のyet2.comがポータルサイト代理運営サービスを利用している4社（Colgate-Palmolive・PepsiCo・Unilever・Mondelez）と利用実態について議論した動画を紹介している。いずれも認知度の高いグローバルメーカーのポータルサイトだけあって、年間にして数百〜数千件の提案を受け取っている。また自社単独で運用しない理由として、知的財産

権のコンタミネーションリスクの回避や初期スクリーニン
グの委託による工数の低減を挙げている。*3

オープンイノベーションコンテストの導入

　実際の業務にオープンイノベーションコンテストを取り入れる
にあたっては、最初に適当な探索ニーズを見つけ、いくつかの仲
介サービスをテスト的に使ってみるところから始めるとよい。最
初からインパクトがある成果が出ることはないため、無料など安
価なもので十分である。その際、手法についての説明を求められ
るかもしれないが、その場合は第5章(P.90)で紹介したテクノロ
ジースカウティングとの比較がわかりやすい。

　その後は本手法を実施するために必要な以下の能力を身に付け
る段階である。

☑対象としている問題が適しているか否かを判断する
☑必要十分な内容を含んだ募集要項を作成する
☑適切な問題解決者の集団に認知活動を行う

　この段階では、仲介業者の活用を検討したい。個別の案件で探
索を依頼する際に、積極的に実務への協力をしたり質問をしたり
してノウハウを学んでいこう。

オープンイノベーションコンテストを一定回数実施すると、得

＊3　Kassa, Kelly [2021], "5 Unexpected Ways Open Innovation Portals Deliver ROI," https://
www.yet2.com/5-unexpected-ways-open-innovation-portals-deliver-roi/.

られる成果・必要な業務・掛かる手間についての理解が深まってくる。ここまで来たらオープンイノベーションポータルサイトの導入を検討したい。ポータルサイトがあると実施するハードルが下がるため、本手法を日常的な活動として組み込める。とりわけ認知活動には試行錯誤が必要なので、対象となりやすい問題解決者に対するアプローチから優先して検討していくとよい。

オープンイノベーションコンテストの将来

　一通り企業内における実践について検討してきたが、現在では社会課題の解決策を見つける目的でもオープンイノベーションコンテストが活用されている。例えばイノベーションコンサルティング会社のLuminary Labsは、新型コロナウイルス（COVID-19）に関連したオープンイノベーションに関する取り組みの22%がオープンイノベーションコンテストに関係していることを報告している。[4]

　一方で世界的に見てもいまだ多くの組織がオープンイノベーションコンテストを使いこなせていない状況にある。仲介業者のHeroXは、適用可能な技術的／事業上の問題が不確かであることや、誤った使い方で結果が出ずに有効性が低いと思われていることが課題であり、AIなどのデジタル技術の発展に伴って実施方法が変わると見ている。また今後10年間で特徴が異なる少数の大規模なプラットフォームの出現が予想されている。[5]

＊4　Holoubek, Sara, Jessica Hibbard [2021] "Using open innovation to address a crisis," https://www.luminary-labs.com/insight/using-open-innovation-to-address-a-crisis-covidx-coronavirus/.
＊5　Ivanov, Eugene [2020], "What Crowdsourcing Will Look Like in 10 Years," https://www.herox.com/blog/941-what-crowdsourcing-will-look-like-in-10-years.

将来的にオープンイノベーションコンテストが広まれば、競合する企業同士が同一のシーズを対象として実施するようになり、問題解決者を惹きつけるために差別化する必要性が出てくるかもしれない。そのときにはオープンイノベーション活動を実施するすべての企業が本手法に習熟し、オープンイノベーションポータルサイトを運営するスキルが求められるようになっているだろう。

Column

オープンイノベーションコンテストと生成AI

　2022年11月30日のOpenAIによるChatGPTの公開をきっかけに、生成AIの一種である大規模言語モデル（LLM：Large Language Models）がさまざまな分野で活用され始めている。生成AIは外部のリソースから解を出す点で、オープンイノベーションコンテストと通ずる点がある。Boussiouxは実際にコンテストを実施して、人が提案した回答を、ChatGPT（GPT-4）が生み出したものと比較した研究を報告している。[6]

☑**コンテストの概要は以下の通り：**
- ・さまざまな分野が関わる幅広い問題を設定でき、解決策の適用可能性を検討するうえで、関連知識を必要とする観点からサーキュラーエコノミーを題材とした
- ・参加者はサーキュラーエコノミーをビジネスに導入する方法のユースケースを提出するように求められた
- ・募集期間の2023年1月30日〜2023年5月15日に310

＊6　Boussioux, Léonard, Jacqueline N. Lane, Miaomiao Zhang, Vladimir Jacimovic and Karim R. Lakhani [2023], "The Crowdless Future? How Generative AI Is Shaping the Future of Human Crowdsourcing," Harvard Business School Technology & Operations Mgt. Unit Working Paper, 24-005.

件の応募があり、有効回答は125件であった

- GPT-4を使って3つのレベルのプロンプトで合計730件
のソリューションを生成した

  <u>レベル1</u>

  ・問題に関して人と同じ説明を受けた

  ・AIと人の直接比較

  <u>レベル2</u>

  ・問題説明に加えて、有効回答を提出した125人の特性
  （肩書・地域・業界・解答の成熟度など）を追加した

  ・参加した問題解決者の特徴の再現

  <u>レベル3</u>

  ・問題説明に加えてサーキュラーエコノミーに関連す
  る分野の専門家としての特徴を追加した

  ・専門家の視点の模倣

- 人が提案した54件とAIが生成した180件（各レベル60
件）を無作為に選び、別途スクリーニングしたサーキュ
ラーエコノミーに一定の知識がある専門家145名に評
価してもらった

☑結果は以下の通り：

- ・人のアイデアのほうが新規性が高く、AIのアイデアは
想定される効果（環境面／経済面のインパクト）が大き
かった

- ・実現可能性と品質については有意差が見られなかった

- ・人のアイデアのほうが多様性に富んでいた

- ・人とAIは同程度の分類のアイデアを生み出した

☑人がアイデアを生み出すのには約5ヶ月を要した一方で、
AIの場合は2時間に満たなかった

第**6**章

本報告ではオープンイノベーションコンテストの形態が、特定のテーマに関して幅広いアイデアを求めるものとなっている。このような場合はそもそもコンテストを実施せずとも、生成AIを活用したアイデア創出で代替できるかもしれない。何より圧倒的にコストが低いことから、新規性を求めるなど人に優位性がありそうな場合でも、まずは生成AIを利用してみるとよいのではないだろうか。

　一方で要件を満たしたシーズを求める形態なら、話が違ってくる。生成AIで協業パートナーを特定しようとしても、その性質として虚偽の情報が出力されることも多く、有効性が低い。現時点ではウェブ上にない情報は検索できないため、暗黙知的なノウハウや開発されたばかりのシーズなどにたどり着くことは不可能である。これらの場合はオープンイノベーションコンテストで幅広い人々に呼びかけるほうがはるかに効果的と思われる。

コーポレートベンチャリング： ベンチャー・スタートアップ 企業に限定した オープンイノベーション 活動の要点

昨今ではオープンイノベーションと同一視されることがある、
コーポレートベンチャリングについて説明する。本章を読めば、
その特徴やトレンド、コーポレートベンチャーキャピタルの位置
づけが理解できる。

コーポレートベンチャリングの定義

　広い意味でコーポレートベンチャリングと言えば、新規事業の創出活動を指している。それを社内で行うものを内部コーポレートベンチャリング、協業パートナーとともに実施するものを外部コーポレートベンチャリングと呼ぶ。オープンイノベーションを取り上げた本書では、「対象をベンチャー・スタートアップ企業に限定したオープンイノベーション活動」をコーポレートベンチャリングと定義する。本取り組みは、とりわけ革新領域のプロジェクトを創出するために効果的である。

　あらゆる業界にデジタル化の波が押し寄せ、競争環境が変わりつつある。しかしながら既存の大企業はイノベーションのジレンマのため、自身で変化を起こすことが困難である。一方でベンチャー企業は既存事業を持たないがゆえにイノベーションの開発に縛りがなく、組織の小回りが利くことから試行錯誤に向いている。よって大企業が豊富なリソースを提供する形でベンチャー企業と協業すれば、お互いにとってメリットが大きい。

　昨今ではオープンイノベーションという言葉がコーポレートベンチャリングを指して用いられることがあるが、この捉え方では可能性を狭めてしまう。第1章で述べたようにオープンイノベーション活動はベンチャー企業との協業を通じた新規プロジェクトの創出だけでなく、それ以外のパートナーも対象とした協業や、結果としての既存のプロジェクトの強化にも活用できる。

　昨今はベンチャーキャピタルやスタートアップデータベースの

第**7**章

ようにベンチャー企業の探索に特化したサービスやツールが広く普及している。一方でオープンイノベーション仲介業者のサービスの中には、ベンチャー企業を含めた複数の種類の協業パートナーを同時に探索できるものも多い。また相手のモチベーションに配慮が必要な点は、アカデミアの研究者との共同研究やサプライヤーとしての中小企業との共同開発でも共通している。

　よってオープンイノベーションチームの中にコーポレートベンチャリングチームがあり、その中に手法の1つであるコーポレートベンチャーキャピタル（CVC）の機能がある形がよいのではないだろうか。アカデミアの研究者の探索・協業は研究所で、中小企業に関してはサプライヤーを相手にしている購買調達部で、ベンチャー企業については新規事業開発部や経営企画部で対応する体制は、ノウハウが共有されず効率が悪い。

図7-1　オープンイノベーション–コーポレートベンチャリング–CVCの関係性

（著者作成）

コーポレートベンチャリングの目的

　大企業にとって新たな協業パートナーを相手にするコーポレートベンチャリングはオープンイノベーション活動の中でも難易度が高く、安易に始めてしまうと、社内だけでなくベンチャー企業のリソースを無駄に消費することになってしまう。そこで意思決定に一貫性を持たせるためにも、ある程度は目的を定めておきたい。例えば以下のようなものが考えられる。

☑ 短期間かつ低コストな課題解決
☑ 新たな技術・ビジネスモデルの探索
☑ 買収先の探索
☑ 社外技術による社内イノベーションの促進
☑ 新規市場への参入
☑ 財務的リターンの獲得
☑ 起業家人材へのアクセス
☑ 起業家精神の醸成
☑ ブランドイメージの向上
☑ CSRへの貢献

第7章

コーポレートベンチャリングの手法

　オープンイノベーションの手法と同じく、コーポレートベンチャリングの手法にもさまざまなものがある。しばしば言及されるCVCはその中の1つに過ぎない。CVCがあると出資を前提とした協業だけに焦点が当たりがちになるが、より大きなコーポレートベンチャリングチームやオープンイノベーションチームがあれ

ば、出資以外の打ち手についても幅広く検討できる。

　手法間の比較についてはスペインのビジネススクールである
IESEのPratsによる一連の報告が参考になる。2017年には、次の
図7-2のようにコーポレートベンチャリングの進め方や手法が紹
介されている。

図7-2　コーポレートベンチャリングの手法[*1]

	概要
Sharing Resources	ツール・製品・サービス・知識などの リソースを安価または無料で提供する
Challenge Prize	特定の課題に焦点を当てた インセンティブ付きのコンテストを実施する
Hackathon	ソフトウェア開発者を対象とした特定のテーマに関する 集中的なワークショップを実施する
Scouting Mission	専門的な知識を有するスカウトが 特定分野の技術や事業機会を探索する
Corporate Accelerator	成長中のベンチャー企業の集団に メンタリングなどを含む短期養成プログラムを提供する
Corporate Incubator	未成熟なベンチャー企業に メンタリングやワーキングスペースを提供する
Strategic Partnership	ベンチャー企業と状況に応じた 各種の協業契約を締結する
Venture Client	ベンチャー企業が未成熟な段階で 最初の製品／サービスを購入する
Venture Builder	同時に多数のベンチャー企業を 立ち上げる場を設置する
Corporate Venture Capital	専門の組織がベンチャー企業に対する 投資活動を行う
Acquisition	特定の事業課題の解決や新規市場への 参入を目的としてベンチャー企業を買収する

　続く2018年の報告では、コーポレートベンチャリングの現状
に関して米国・欧州の大企業にインタビューした結果や各手法の
ベストプラクティスが紹介されている。一連の報告を通して、次
のようなポイントを押さえておきたい。

＊1　以下より著者作成
Prats, Mª Julia, Pau Amigó, Xavier Ametller and Adrià Batlle [2017], Corporate Venturing:
Achieving Profitable Growth Through Startups, IESE Business School.

図7-3　コーポレートベンチャリングの各手法のベストプラクティス[*2]

	概要
Sharing Resources	・データやノウハウなど、ベンチャー企業に魅力的な技術的基盤を整備する ・イノベーションの探索と社内への取り込みにかける労力のバランスを取る
Challenge Prize	・賞金を投資の形で提供する ・市場で求められている課題を対象とする
Hackathon	・それぞれの地域が得意とする技術分野に沿ったテーマで実施する ・課題に対して、ベンチャー企業が志向する方向性に沿って提案させる
Scouting Mission	・イノベーションの商業化を円滑にするため、最初から事業部の担当者を関与させる ・周辺に適切なパートナーがいなければ、対象地域を拡大する
Corporate Accelerator	・プロジェクトへの関与度合いを強めるため、事業部にも投資してもらう ・意味のあるやり取りと自律性を与えられるように、実施場所／形態を選択する
Corporate Incubator	・教育の機会として活かすため、社員のプログラムへの参加を検討する ・事業計画や収益性を示したビジネスケースを作り込む
Strategic Partnership	・ベストプラクティスを協業パートナーと共有する ・コワーキングスペースやデータへのアクセスなどの無形資産を提供する
Venture Client	・ベンチャー企業の速度に合わせた社内手続きを設計する ・ベンチャー企業と大企業でお互いに学べる環境を作る
Venture Builder	・対象となるベンチャー企業だけでなく、適切な社外の協力者を確保する ・自社の戦略に沿った手法と対象を選ぶ
Corporate Venture Capital	・戦略的リターンと財務的リターンのバランスを取る ・そのバランスを組織の位置づけや独立性などを含めた戦略に反映させる
Acquisition	・意思決定に掛かる時間など、大企業特有の遅さに対処する ・買収する前に協業することで、正しい候補か否かを見極める

第7章

*2　以下より著者作成
Prats, Mª Julia, Josemaria Siota, Tommaso Canonici and Xavier Contijoch [2018], Open Innovation Building, Scaling and Consolidating Your Firm's Corporate Venturing Unit, IESE Business School.

☑ イノベーションの速度が大きい業界ほど、早くからコーポレートベンチャリングを行ってきた企業が多い

☑ 取り組みの成熟度が似ている企業は異なる業界でも類似した課題に直面している

☑ 多くの企業が他社の事例を単純に模倣するところから活動を始めるが、すぐに各々の目標に適した手法を選ばないといけないことに気づく

☑ コーポレートベンチャリング部門の成熟度ごとに好まれる手法が異なっている

☑ コーポレートベンチャリングの評価指標として最も重視されているのは財務的リターンである

　さらに2019年には、コーポレートベンチャリングの各手法が要する時間とコストに関して米国・欧州・アジアの大企業に対してインタビューした結果が紹介されている（図7-4）。

☑ ベンチャー企業の成熟度によって、有効な手法が異なる

☑ 手法を選択する際、プロセスに要する時間と価値を生み出すために必要なコストを考慮しなければならない

☑ どの手法でも統合段階で最も時間が掛かる

☑ アジャイル原則を採用している企業は各手法の実施に要する時間を短縮できる

☑ 一部の企業はいくつかの手法において、効率的に機会から価値を生み出している

　以上のように、オープンイノベーション活動の中の1つのカテゴリーであるとはいえ、コーポレートベンチャリングに限っても

図7-4　コーポレートベンチャリングの各手法に要する費用[*3]

	Stage1：同定（ヶ月）	Stage2：協業（ヶ月）	Stage3：統合（ヶ月）	1年間・1機会あたりの費用（ユーロ）	（万円）
Sharing Resources	4.0	2.0	8.3	152,450	1,982
Challenge Prize	3.5	0.6	6.8	85,000	1,105
Hackathon	1.3	1.0	5.9	105,762	1,375
Scouting Mission	2.4	2.9	6.8	55,175	717
Corporate Accelerator	2.2	2.3	6.8	310,333	4,034
Corporate Incubator	3.5	7.0	16.0	294,500	3,829
Strategic Partnership	3.5	11.3	12.8	N/A	N/A
Venture Client	0.3	3.2	4.4	47,000	611
Venture Builder	3.0	3.0	4.0	255,000	3,315
Corporate Venture Capital	1.9	4.1	16.0	331,148	4,305
Acquisition	3.3	6.8	9.4	447,363	5,816

*1ユーロ ＝ 130円で換算

さまざまな手法があって使い分けが難しい。また出資が絡む案件を扱うには相応の知識が必要であるし、ベンチャー企業が集まるエコシステムには独特のものがある。よって専属の担当者やチームを置いて活動し、知見を集約していく形が望ましい。

*3　以下より著者作成
Prats, Mª Julia, Josemaria Siota, Isabel Martinez-Monche and Yair Martinez [2019], Open Innovation Increasing Your Corporate Venturing Speed While Reducing the Cost, IESE Business School.

Column

コーポレートベンチャリングに関する
Chesbroughの見解

Chesbroughは2020年の著作の中で、2つのポイントについて言及している。1つ目はベンチャー企業が大企業に対して、資金よりも最新のツール・技術・チャネル・顧客へのアクセスに期待している点である。もう1つは、大企業は従来の株式ベースのアプローチでは時間が掛かり管理に手間を要するために規模の拡大が難しいと感じており、出資をしない軽量型の協業モデルが用いられるようになってきている点である。[4]

コーポレートベンチャリングと支援組織

コーポレートベンチャリングにおいても、自社単独で実施するだけでなく、社外の第三者を活用できる。これに関して2020年のIESEの報告では、コーポレートベンチャリングの支援組織をイネーブラーと呼び、その活用に関してアジア・南北アメリカ・欧州の大企業に対してインタビューした結果を紹介している。[5]

☑イネーブラーはコーポレートベンチャリングを実施する企業とベンチャー企業を仲介する。例えば以下のような組織である
- ・プライベートアクセラレーター
- ・プライベートインキュベーター

---

[4] Chesbrough, Henry [2020], Open Innovation Results: Going Beyond the Hype and Getting Down to Business, Oxford University Press.
[5] Siota, Josemaria and Mª Julia Prats [2020], Open Innovation Improving Your Capability, Deal Flow, Cost and Speed With a Corporate Venturing Ecosystem, IESE.

- ・研究機関
- ・大学
- ・ベンチャーキャピタル
- ・エンジェル投資家
- ・プライベートエクイティファンド
- ・専門サービス企業
- ・政府
- ・大使館
- ・商工会議所
- ・シンクタンク
- ・他の企業

☑イネーブラーの活用ではコアビジネスへの影響に気を付ける

☑イネーブラーを選定するときは能力面を重視する

☑専門サービス企業以外のイネーブラーにも目を向ける

☑コーポレートベンチャリングチームは他の企業にサービスを提供するイネーブラーとなり得る

☑イネーブラーをうまく活用すればコーポレートベンチャリングの生産性を上げられる

　さらに2021年には企業がイネーブラーから得られるベネフィットと、逆に企業がイネーブラーに与えられるベネフィットに関してアジア・南北アメリカ・欧州の大企業に対してインタビューした結果を紹介している。コーポレートベンチャリングを実施する企業への示唆は以下の通り。[6]

＊6 Siota, Josemaria and Mª Julia Prats [2021], Open Innovation Unlocking Hidden Opportunities by Refining the Value Proposition Between Your Corporation and Corporate Venturing Enablers, IESE.

第**7**章

☑求める便益に適したイネーブラーを活用する

☑イネーブラーを惹きつけるために資金以外のものも提供する

☑他の企業と共同でコーポレートベンチャリングを実施する

☑複数のイネーブラーをまとめるメタイネーブラーを活用する

　第3章(P.60)で紹介した仲介業者は、イネーブラーの中の主に専門サービス企業に相当する。これらはその他の協業パートナーの探索にも役立つが、プライベートアクセラレーター・プライベートインキュベーター・ベンチャーキャピタル・エンジェル投資家・プライベートエクイティファンドなどは、ベンチャー企業のみが対象となる。よってコーポレートベンチャリング担当チームが責任を持って、関係性を構築・維持していくとよい。

コーポレートベンチャリングの共同実施

　2023年のIESEの報告によると、コーポレートベンチャリングを目的として少数の企業グループが形成されるようになってきており、コーポレートベンチャリングスクワッド(CVS)と名付けられている。また、その特徴および企業が参加の是非を検討する際に評価すべきポイントを明らかにするため、さまざまな業界における西欧・南北アメリカ・中東・アジア太平洋の大企業に対してインタビューした結果を紹介している。[7]

＊7　Prats, Mª Julia, Josemaria Siota, Carla Bustamante and Beatriz Camacho [2023], Open Innovation Corporate Venturing Squads: Teaming Up with Other Corporations to Better Innovate with Start-Ups, IESE.

☑CVSは活動の段階と協業の頻度で6種類に分類できる

①スカウティングフォース（探索：単発）

　協業案件を収集する単発の取り組み

②スカウティングプラットフォーム（探索：繰り返し）

　スカウティング活動の繰り返し

③共同PoC（検証：単発）

　製品／サービスの開発を目的としたベンチャー企業との単発
　の協業

④パートナーシップ（検証：繰り返し）

　メンバー企業とベンチャー企業の間のPoCの繰り返し

⑤共同投資（投資：単発）

　ベンチャー企業に対する1回限りの投資

⑥共同ファンド（投資：繰り返し）

　ベンチャー企業に対する複数回の投資

**☑多くのCVSが以下の3つの役割を有していることが明らかに
なった**

問題提供者

　解決策を必要とする問題を提供する

イネーブラー

　メンバー企業とスタートアップ企業の協業を促進する

アライアンスマネージャー

　メンバー企業の間の関係性を取り持つ

☑CVSに参加するベネフィットは以下の通り

・より多くより質の高い協業の機会の獲得

・イノベーションエコシステムにおけるネットワークの拡大と
　地位の向上

・ベストプラクティスの学習と共有

第**7**章

- ・信頼性と評判の向上
- ・リスクとコストの低減

☑**CVSの課題は以下の2つに分けられる**

ガバナンス面
　目的の決定・意思決定プロセスの立案・ベネフィットの分配・知的財産権への配慮など設立時に発生するもの

オペレーション面
　リソース不足など活動の中で発生する摩擦に関するもの

☑**適切なCVSの類型を活用することで、企業は単独でコーポレートベンチャリングを行うよりも、ベンチャー企業に対してより強力な価値提案を示せるようになる**

　ベンチャー企業の立場で見た場合、複数の企業が集まっているほうが、自社の製品やサービスに合ったニーズが見つかる可能性が高くなる。これはコーポレートベンチャリングに限らず、例えば大学の研究者や中小企業を対象としたオープンイノベーションコンテストにおいても同じである。そのため今後はオープンイノベーション活動全般においても、大企業間の連携が進んでいく可能性がある。

　一方で競合他社となる企業との取り組みは、社内を説得することが難しいかもしれない。そこで化学メーカーがその顧客である一般消費財メーカーと垂直的に連携したり、新薬を開発している医薬品メーカーとサプリメントを開発している食品メーカーが分野を越えて協力したりする取り組みはどうだろうか。どちらの場合も求めるシーズの棲み分けができることから、ガバナンス面の問題が生じにくく、着手しやすいと思われる。

　1対1の協業がオープンイノベーション1.0、多様な組織が参加するエコシステムなどの多対多の関係性がオープンイノベーション2.0と呼ばれるなら、少数の大企業が連携して協業パートナーを求める試みはオープンイノベーション1.5と名付けられる。1.0から一足飛びに2.0に向かうことが難しい場合は、この種の取り組みで経験を積んでいくことが有効かもしれない。

ベンチャークライアント

　コーポレートベンチャリングの手法の中で新しいものとして、「ベンチャークライアント」をご存知だろうか。これは戦略的利益を得ることを目的としてベンチャー企業の製品／サービスを開発の初期段階で購入・利用する手法であり、アウトサイドイン型で出資が絡まないものに分類される。別名称として、「スタートアップサプライヤープログラム」と呼ばれることもある。

　ベンチャークライアントという用語は2015〜2018年にかけてミュンヘンのBMW Startup Garageを立ち上げ率いたGimmyによって名付けられた。ベンチャー企業は資金・コーチング・顧客の3つの要素を求めているが、最初の2つに関してはCVCよりも独立系ベンチャーキャピタルのほうが勝っている。一方で大企業は自身が顧客対象となることで最後の1つを提供できる。[8]

　Kurpjuweitは欧州の大企業3社の事例を通してベンチャークライアントの特徴を明らかにした研究を報告している。[9]

＊8　Gimmy, Gregor, Dominik Kanbach, Stephan Stubner, Andreas Konig and Albrecht Enders [2017], "What BMW's Corporate VC Offers that Regular Investors Can't," Harvard Business Review, July 27.

☑コーポレートアクセラレーターはY Combinatorのような独立したアクセラレーターとベンチャー企業を巡って競合しており、多くの大企業は定員を満たすのに苦労している

☑スペインの通信会社であるTelefonicaは、コーポレートアクセラレーターとして立ち上げた部門であるWayraをベンチャークライアントに切り替えた

☑ベンチャークライアントでは、市場に投入可能な技術を持つベンチャー企業に焦点を当てているため、とりわけ初期段階で求められるコーチングは独立したインキュベーター・アクセラレーター・ベンチャーキャピタルに任せられる

☑本研究の対象である西欧の大企業3社は、いずれも従来のコーポレートベンチャリングのアプローチへの不満を背景として、2015年にプログラムを立ち上げた

☑ベンチャークライアントとコーポレートアクセラレーターの違いは以下の通り

戦略対象
　コーポレートアクセラレーターが人材の誘致・アイデアの探求・初期段階のイノベーションへのアクセスなど幅広い目的を持っているのに対して、ベンチャークライアントの焦点はベンチャー企業の技術で中核事業を支援することに絞られる

プログラム内容
　コーポレートアクセラレーターではプロトタイプの開発が、ベンチャークライアントではすでにある技術のカスタマイズが行われる

＊9　Kurpjuweit, Stefan and Stephan M. Wagner [2020], "Startup Supplier Programs: A New Model for Managing Corporate-Startup Partnerships," California Management Review, 62(3), 64-85.

供給リソース

コーポレートアクセラレーターにおけるベンチャー企業が一定額の資金を受け取るのに対して、ベンチャークライアントでは開発コストに応じて支払われる

☑ベンチャークライアントプログラムのステージは以下の通り

ステージ1：同定

・ベンチャー企業をスクリーニングして、ウェブサイトのフォームから応募するように求める

・すべてのコンタクト先が同じプロセスを経ることで、均一な評価手順が保証される

・リクルーティングにあたっては、外部のスカウト業者・アクセラレーター・ベンチャーキャピタルを活用している

ゲート1：予備選考

・プログラム運営部門が従来サプライヤーに求める品質・コスト・納期とは異なる評価基準を適用し、大きく数を絞り込む

ステージ2：社内マッチング

・ベンチャー企業が選定されるには、その製品に対価を支払う事業部がある場合に限られる

・プログラムの運営部門が協業に必要な予算の50%を提供する

・事業部のマネージャーなどが構成される審査員を前にしたピッチが実施される

ステージ3：パイロットプロジェクト

・ベンチャー企業の技術を事業部のニーズに合わせてカスタマイズし、実際の条件下で検証する

・本段階は3〜4ヶ月であることが一般的であるが、個別のプロジェクトに応じて柔軟に調整される

・技術の検証とカスタマイズが行われるだけなので、知的財産

第7章

権はベンチャー企業に帰属したままである

ゲート2：パイロット評価

・製品を調達する／共同開発プロジェクトを通じて改良する／
　検討を打ち切るのいずれかが決定される

ステージ4：サプライヤーネットワークへの移行

・共同開発へ進んだプロジェクトでは、さらなるカスタマイズ
　によって問題点を解消していく

・調達が選ばれた場合は既存のサプライヤーに対応している
　チームに引き継がれるが、生産性の向上を目指した支援を手
　厚く行う

☑ すべてのベンチャー企業が大企業からの投資やメンタリングを
　必要としているわけではない一方で、有償で購入してくれる顧
　客は常に求められている

☑ 大企業はベンチャークライアントプログラムを中心にして、さ
　まざまなプログラムを組織化し始めている

・サプライヤーとして成熟していない場合は、アクセラレー
　タープログラムに参加させる

・中核事業に重要な技術を保有している場合は、CVCを通じて
　排他的なアクセスを獲得する

☑ ベンチャー企業との協業が日常業務ではない購買担当者をどの
　ように巻き込むかについては検討する余地がある

☑ ベンチャークライアントプログラムの実施によって、外部のエ
　コシステムに対する企業の認知度を向上させ、最も有望なベン
　チャー企業と交流できる

　前述のIESEのレポートを見ると、CVCやコーポレートアクセラ
レーターが1機会を生み出すのに約4,000万円掛かっているのに

対して、ベンチャークライアントは約600万円という数字となっている。これは比較された11の手法の中で最も低い金額である。つまり、ベンチャークライアントを軸にコーポレートベンチャリングを展開すれば、資金を節約しながら活動を推進できる。

　一般的に企業内の活動では消費するリソースが大きいほど周囲の期待感がふくらみ、一定期間成果を出せないと、活動を中止させられる恐れが出てくる。リソースを節約すれば時間的な余裕を生み出せることから、本手法は検討する価値があるのではないだろうか。また社内のニーズが活動の起点となる点で、本書で提案しているWFGMモデルと相性がよい。

　活動例としては、DXの文脈で社内プロセス上の問題を解決できるベンチャー企業を探索することが挙げられる。しかし仮によいサービスが見つかっても、セキュリティーの面で関連部署の許可が得られない可能性がある。そこでベンチャークライアントを正式なプログラムとして運用する体制が有効かもしれない。

　本章のコラム（P.118）で紹介したように、大企業のオープンイノベーション活動が出資をしない協業モデルに移行していく動きがある。その代表例がベンチャークライアントであるが、文献を見ても現時点でも限られた報告しか存在しない。また実施にあたっては購買部門の巻き込みが鍵となり、オープンイノベーションチームとして、社内のネットワークを広げていくことが求められる。このようにまだ試行錯誤段階にある手法ではあるが、その動向に注目していくとよいだろう。

第
7
章

最後に言うまでもないことであるが、ベンチャー企業に対しては丁重な対応を心懸ける必要がある。悪い評判が立つとプログラムが持続できなくなるし、自社の課題解決に協力してくれる協業パートナーとして感謝の念を持つべき対象である。「ベンチャー企業をサプライヤー扱いしてはいけない」と言われることもあるが、そもそもサプライヤーに対しても礼節を持って対応するのが当然ではないだろうか。

大企業がベンチャー企業と協業する際のポイント

　ベンチャー企業と協業する際の作法や心構えといったことに関しては、さまざまなところで話題になっているため、深くは立ち入らない。代表的なところでは経済産業省や特許庁が、大企業のコーポレートベンチャリング担当者に向けた「事業会社と研究開発型ベンチャー企業の連携のための手引き（第三版）」や「事業会社とスタートアップのオープンイノベーション促進のためのマナーブック」を取りまとめている。

　また多くの企業がコーポレートベンチャリングに取り組んでいるため、とりわけ競合他社と差別化する方法について考えておく必要がある。メンタリングに関しては業界の知識ならベンチャー企業のほうが勝っている可能性もあるし、資金提供はベンチャーキャピタルや公的機関から調達できる金額に比べて見劣りするかもしれない。よって自社に特有のデータの提供など、できる限り独自性のある資産を見つけておきたい。

Column

複数のイノベーションチーム

　本章ではオープンイノベーションチーム・コーポレートベンチャーリングチーム・CVCチームが入れ子状になっている組織形態を提唱したが、実際はどのように運用されているのだろうか。この点に関してHeinzelmannによる大企業が社内に複数のチームを設けてイノベーション活動を推進している理由を調査した研究を紹介したい。[*10]

☑ **大企業のイノベーションチームは2つのカテゴリーに分類できる**

　①特定のアイデアを追求する実行チーム

　②実行チームを創出・支援するコンピテンスセンターとしてのイノベーションプログラム

　例）コーポレートアクセラレーター・コーポレートインキュベーター・ベンチャークライアント・ベンチャービルダー・CVC

☑ **昨今ではさまざまな業界で複数のイノベーションチームを同時並行的に運用する大企業が増えている**

☑ **本研究の対象はドイツの大企業8社の合計42個のイノベーションチームである**

第7章

＊10 Heinzelmann, Nicolai, Roland Ortt and Guido H. Baltes [2022], "Why Companies Have Multiple Corporate Entrepreneurship Units," 2022 IEEE 28th International Conference on Engineering, Technology and Innovation, ICE/ITMC 2022 and 31st International Association for Management of Technology, IAMOT 2022 Joint Conference - Proceedings, DOI: 10.1109/ICE/ITMC-IAMOT55089.2022.10033142.

☑新たなチームを設立する理由は以下の通り

ⓐ能力の拡大

より多くのさまざまな案件に対応するため

ⓑ対応地域の拡大

離れた地域のイノベーションポテンシャルを活用するため

ⓒイノベーションのアウトプットに特化

異なる種類のイノベーションのアウトプットを同時に追求するため

ⓓ業界に特化

業界固有の要件に対応するため

ⓔ機会へのアクセスに特化

社内外の機会の対応を分けるため

ⓕイノベーションの段階に特化

イノベーションをライフサイクルに合わせて適切に支援するため

ⓖ異なる法的構造の利用

企業本体から離れることで柔軟性を獲得するため

ⓗさらなるイノベーションの要請への対応

トップマネジメントの期待に応えるため

ⓘイニシアティブの発揮

エグゼクティブマネージャーが変革を実現するため

ⓙ潜在的なイノベーターの支援

エグゼクティブマネージャーがイノベーターと目した人材に新たなチームを立ち上げさせるため

ⓚ権力の獲得

エグゼクティブマネージャーが社内政治の道具として

活用するため

☑各企業は2〜7個の理由を持っており、イノベーションチームの数が多いほど、導入する理由も多かった

☑イノベーションチームを導入した理由は、時間とともに変化している

☑理由の@〜⑨は組織の決定（意図的戦略）を、①〜⑭は個人の決定（創発的戦略）を反映したものであり、⑪は両者のハイブリッドと言える

☑対象の中には、意図的なアプローチで複数のイノベーションチームの役割を調整している企業と、創発的なアプローチで独立したチームを運用している企業が混在していた

☑最初のイノベーションチームは場あたり的に設置され、試行錯誤を通じて能力が向上してくると、より戦略的なアプローチを採用する傾向が見られる

☑最初に設置されたイノベーションチームが活動する過程で特定の能力不足に気づき、より専門性を高めたチームを追加で立ち上げる場合が多い

☑各イノベーションチームは他のチームの活動と差別化する方向を目指すため、各々の専門化が進むにつれて相互補完性が高まり、複数のイノベーションチームが存在する必要性が増していく

　上記の報告では実際に新規事業開発を推進するチームも含まれているが、オープンイノベーション活動に関連して整合性のとれたチーム運用をしている企業は少ないのではないだろうか。多くの企業がいまだ試行錯誤をしており、そ

の段階に至っていないということかもしれない。日本国内においても、一企業内におけるイノベーションチーム間の連動や棲み分けはそこまで話題になっていない印象がある。一方でイノベーションの創出が不確実性が高いものだとすると、そもそも整合性を持たせること自体が適切でない可能性もあって難しい。

ユーザーイノベーション：
最も獲得が難しい
ニーズに関する情報を活用せよ

社外との協業の中でも、ユーザーを対象としたものは製品／サービスの開発に大きく役立つ可能性がある。本章ではユーザーイノベーションの定義や特徴、活用する際の注意点について説明する。

ユーザーイノベーションの定義

「イノベーションの源として、ユーザーを生産者と同程度もしくはより重要なものとして捉える考え方」をユーザーイノベーションと呼ぶ。1970年代後期にvon Hippelにより研究が開始された。コーポレートベンチャリング(第7章参照)がベンチャー・スタートアップ企業との協業であったのと同じく、ユーザーイノベーションはユーザーを対象としたオープンイノベーション活動と言える。[*1]

1976年の報告において、von Hippelは過去数十年間にわたる4種類の科学機器のイノベーションを調査している。結果として約80%が生産者である科学機器メーカーではなく、日々製品を利用するユーザーである科学者によって開発されたことが明らかになっている。**今日のさまざまな分野におけるイノベーションの中には、使う側によって開発されているものが多い。よってユーザーをうまく活用すれば、イノベーションの創出に役立てられる。**[*2]

従来の企業によるイノベーションの場合、具体的な利益につながる商業化へのインセンティブによってイノベーションが拡散する。一方でユーザーイノベーションの拡散メカニズムには次の3つがある。

☑①ユーザーが自身のイノベーションを無償で公開する

*1　von Hippel, Eric [1988], The Sources of Innovation, Oxford University Press. (榊原清則訳『イノベーションの源泉』ダイヤモンド社、1991年)。
*2　von Hippel, Eric [1976], "The Dominant Role of Users in the Scientific Instrument Innovation Process," Research Policy, 5(3), 212-239.

☑②ユーザーが自身のイノベーションを商業化する
☑③企業がユーザーイノベーションを取り込み商業化する

　とはいえ、多数のユーザーが類似のニーズを元に類似のイノベーションの創出に取り組む傾向があるため、企業によるイノベーションと比べて無駄が多い。

ユーザーイノベーションの特徴

　ユーザーイノベーションは、イノベーションの創出に必要な「情報の粘着性」（特定の情報を別の場所へ伝えるために掛かるコストを表現する言葉）の問題を解決できる。ニーズを認識しているユーザーが企業にその情報を正確に伝えることは難しい。それに対しては、例えばユーザーがイノベーションの試作品を見せることで問題が解決できる。ソリューションに関する情報や開発能力が足らない試作品であっても、ニーズに関する情報と比べてこれらは獲得しやすいため、イノベーションの障害とならない。

　また、生産者である企業にとってユーザーと顧客が同一でない場合がある。例えば消費財メーカーではユーザーは顧客そのものである。一方で多くのBtoB企業では、最終的なユーザーと顧客は異なっている。ユーザーが持つ情報は粘着性の問題のために、仲介者である顧客に対しても正確に伝わらない。そのため企業は、直接の顧客に加えてエンドユーザーにも注目する必要がある。

　HarhoffはEU・イスラエル・米国・日本の発明者／企業を対象とした調査を通じて、ユーザーイノベーションについての分析を

行っている。**本報告では、イノベーションの創出において生産者である企業とユーザーもしくは顧客が公式または非公式に協業した場合、生み出される特許の価値の向上や商業化の促進を通じてイノベーションの創出が加速されることを明らかにしている。**[*3]

　ユーザーは投資を伴わずに既存の知識や能力を用いてイノベーションに取り組むため、コスト面で企業よりも有利である。同書籍の中でLuethjeはユーザーイノベーションが企業によるイノベーションと比べて以下の強みを持つと報告している。

☑機会の同定とニーズの理解
- ・自身が把握しているためニーズ情報へのアクセスが容易
- ・ニーズを明らかにするために日々の活動を通してさまざまな検証を行える

☑ソリューションの開発
- ・よりオープンかつ柔軟に複数の知識を組み合わせられる
- ・規制・安全基準・権利などを考慮する必要がない
- ・サンクコストの影響が少ない
- ・他人が見出したソリューション情報へのアクセスが容易

☑ソリューションの検証と改善
- ・日々の活動を通してソリューションを検証できる
- ・試作したものを自身で検証できる
- ・素早く安価に試行錯誤を行える
- ・他人が行った試験結果をより深く理解できる

第8章

＊3　Harhoff, Dietmar and Krim R. Lakhani (eds) [2016], Revolutionizing Innovation Users, Communities, and Open Innovation, MIT Press.

フリーイノベーション

　von Hippelは、ユーザーイノベーションの中の利益が絡まない
ものに注目し、「フリーイノベーション」という新たな理論を提唱
している。技術の発展により個人が効果的なデザインとコミュニ
ケーションツールにアクセスできるようになったことがきっかけ
であるが、デジタル技術の影響を大きく受けている点で、オープ
ンイノベーションコンテストと同様の背景がある。[*4]

☑**フリーイノベーションは以下を満たす斬新な製品／サービス／
プロセスである**

- ・消費者が金銭的な報酬を得ずに、自身のリソースを使って開
　発する
- ・開発者が権利を保護しないため、誰もが無料で手に入れられ
　る

☑**フリーイノベーションを開発する主な動機は以下の通り**

- ・イノベーションの個人的利用
- ・イノベーション開発の個人的な楽しみ
- ・個人的な学びと技術の向上
- ・他者の援助

☑**フリーイノベーションと供給側イノベーションには以下の関係
がある**

- ・フリーイノベーションが供給側イノベーションの競合となる
- ・フリーイノベーションが供給側イノベーションを補完する
- ・フリーイノベーションが供給側に流出して商業製品になる

[*4]　von Hippel, Eric [2017], FREE INNOVATION, MIT Press. (鷲田祐一監修・訳『フリーイノ
ベーション』白桃書房, 2019年)。

・供給側が情報を提供してフリーイノベーションを支援する

☑ フリーイノベーションは市場のニーズに無関係であるため、供給側イノベーションよりも先に開発が始まる

ユーザーイノベーションとオープンイノベーション

イノベーションを創出するうえでニーズに関する情報は最も獲得が難しいものであるが、それを扱うユーザーとの共創は、オープンイノベーション活動を行ううえで重要な取り組みとなり得る。特に新規事業開発においては、課題の理解を深めるだけでなく、ソリューションの磨き込みにもユーザーインタビューが有用である。したがって支援する際にはアーリーアダプターなど見込み顧客を見つけてくることが求められる。

ユーザーイノベーションの重要性は業界によって異なる。例えば電機／自動車メーカーなどを顧客とする化学業界では、以前から顧客との共創が盛んに行われてきた。また一般消費財業界では、製品コンセプトを考える際に技術的な知見がそれほど求められないという特徴がある。そのためマーケティング的な観点を含めて、製品開発に消費者を関わらせる取り組みがしばしば見られる。

しかし、消費者を含めたユーザーは生産者である企業と異なり、完全に合理的に行動するわけではない。いったん感情面でこじれると、損得を無視して行動される恐れがある。加えて企業と雇用関係になく、契約面での義務を負わないため、何かを強制することができない。よってユーザー巻き込み型のオープンイノベーション活動を検討する際には、このようなリスク面にも注意を払

第8章

いたい。

　消費者から集めたアイデアを消費者自身に評価させる取り組み
に関する報告によると、消費者は実行可能性を過小評価・平凡な
独創性を過大評価する一方で、企業は実行可能性を重視し、高い
独創性あるいは無難なアイデアを好むことが明らかにされている。
またオンラインの消費者投票はアイデアの質の評価に適していな
いため、他の方法を探すことが推奨されている。*5

　このようにユーザーイノベーションはぜひとも活用したいもの
であるが、BtoC企業のオープンイノベーション担当者の立場で
考えた場合、知的財産権と個人情報の取り扱いに関する慎重な配
慮が必要である。新たな取り組みを始めるにあたっては、それぞ
れを担当している知財法務部や情報システム部を説得する手間も
掛かる。そこで1つの解決策はオープンイノベーション仲介業者
の活用となり、例えば以下のような候補が考えられるだろう。

　クオン：Beach
　https://www.q-o-n.com/service/
　エイス：Wemake
　https://www.wemake.jp/

＊5　Hofstetter, Reto, Suleiman Aryobsei and Andreas Herrmann [2018], "Should You Really Produce What Consumers Like Online? Empirical Evidence for Reciprocal Voting in Open Innovation Contests," Journal of Product Innovation Management, 35(2), 209-229.

Column

ユーザーイノベーションを活用した企業の失敗事例

オープンイノベーションを全面的に取り入れて消費者向け製品開発を行ってきた企業を調査した研究を紹介したい。ユーザー任せにし過ぎると失敗するという事例として、米Quirkyはしばしば言及されている。[*6]

☑2009年にニューヨークで設立され、アイデア創出・検証・開発・商品化・流通・マネタイズのすべてにユーザーが関われるコミュニティーを運営してきた

☑2009～2013年の間に1億7,000万ドル以上を調達した

☑2015年に破産し、所有者の変更と運用上の調整を経て、2017年に再スタートした

☑2021年までに130万人のユーザーが参加し、32万1,000件の製品アイデア（玩具・ガジェット・家電・接続機器など）の開発が行われた

失敗の主な原因は以下の通り。

☑戦略

・オープンイノベーションプラットフォームと消費者向け製品ブランドという二面性を持ち、あまりにも多くの製品カテゴリーで試行錯誤した

・製造／販売委託先企業に大きく依存することで利益率が低下した

・短期間で急成長したことにより、開発に必要なリソー

第8章

＊6 Abhari, Kaveh and Summer McGuckin [2023], "Limiting factors of open innovation organizations: A case of social product development and research agenda," Technovation, 119, 102526.

スがまかなえなくなっていった

- 組織の再編成・技術プラットフォームの再設計・ロイヤリティーの調整・製造／販売委託先企業との関係性の見直しを繰り返した
- 提案したアイデアの流用に関するユーザーの懸念を払しょくできなかった

☑ **プロセス**

- 各製品の開発に投入されるリソースの調整がうまくいっておらず、CFOが不在で資金のモニタリングが行われていなかった
- 手早く注目を集める製品を作ろうとして、品質面を犠牲にした
- ユーザーへのロイヤリティーに大きく依存したモデルであったため、モチベーションの維持に苦労した
- ユーザー投票制でのアイデアの選定が、実際にはニーズが存在しないものも開発されることにつながった
- ユーザー間の協力よりもアイデア創出を優先した修正が繰り返し行われ、エンゲージメントが低下した

☑ **コミュニティー**

- 中心ユーザーに報酬が集中することで、他のユーザーのエンゲージメントが低下した
- 他のユーザーが提出したアイデアの評価などに注意を払わなくなっていた
- プロセスの複雑さやロイヤリティーの変更が、運営や他のユーザーの不信につながった
- 多過ぎる情報が過剰な競争をもたらし、多くのユーザーが参加をためらうようになった

オープンイノベーション活動に関わる人的側面：組織と個人で求められる効果的アプローチとは

オープンイノベーション活動の推進では、さまざまな人々が関わり、その成否を大きく左右する。調査結果で明らかになったスキルや能力を確認した後で、実践で考慮すべき人的側面について検討していく。

オープンイノベーション活動に必要なスキルと能力

　オープンイノベーションを採用すると組織として取るべき行動が大きく変わるため、従来と違った種類の人材が必要となってくる。これに関してEUの大学や教育機関のネットワークで、オープンイノベーションに関する教育や学習プログラムを提供している The European Academic Network for Open Innovation（OI-Net）がReport on Industrial Needs for Open Innovation Educationの中で、大規模な調査結果を報告している。

　2015年の本報告は産業界が必要とするオープンイノベーション教育を同定することを目的としており、オープンイノベーション活動に携わる者に必要とされるスキルや能力について以下のようにまとめている。

☑ネットワーキング力
☑外部コラボレーション力
☑組織内で知識やアイデアを共有する能力
☑コミュニケーション力
☑チームワーク力
☑問題解決力
☑戦略思考
☑技術・ビジネス思考
☑創造性
☑適応性・柔軟性

　また経済産業省は2018年の企業のオープンイノベーション推

第9章

進における人材マネジメントに関する調査報告書において、以下のスキルや能力を提案している。

- ☑リーダーシップ
- ☑リベラルアーツ
- ☑新しく出会ったものに気づくことができる力
- ☑事業・研究開発経験
- ☑利他精神・イノベーションへの情熱
- ☑技術目利き力
- ☑シナリオ構築力
- ☑社内力学の理解
- ☑社外力学の理解
- ☑リファレンスを外から得る力

　両報告ともにオープンイノベーションに必要とされるスキルや能力はおおむね共通している。中でも組織内外にネットワークを作る力や広範囲にまたがる知識は従来の企業においては重要視されてこなかった能力ではないだろうか。よってそれらを有する人材を見つける際には、これまでと違った人材評価基準を設ける必要があるし、そもそも社内で十分にまかなえない可能性もある。

　しかし、ネットワークや知識の広さを求めすぎると際限がない。一人ですべての地域や業種をカバーすることは困難であるし、あらゆる分野を学ぶことは不可能である。そこで解決策としては、**オープンイノベーションチームの単位で必要とされるスキルや能力を確保し、業務を分担する方法が考えられる。**つまり一般的な組織以上に多様性に配慮したチーム編成が求められることになる。

組織内での働きかけ

あらゆる組織変革において、社員の積極的な参加が活動の成否を分ける。一方で人は大きな変化に対して現状維持の態度を取りがちで、何もしなければ積極的な協力は見込めない。この点に関してMarkmanはオープンイノベーション活動の成功確率を上げるために行うべき働きかけを提案している。[*1]

☑ **従業員を活動に参加させる**

・説得力のあるビジョンを創り出す——想像力をかき立てる言葉を選び、感情豊かなコミュニケーションスタイルを用いてさまざまなチャネルで繰り返し主張する

・活動に深く関与させる——鍵となる人々を初期の段階から参加させる

☑ **従業員のやる気を高める**

・有言実行する——リーダー自身が有言実行することで信頼が高まる

・リソースを割り当てる——金銭面だけでなく時間と人的リソースも割り当てる

☑ **成功の定義を変える**

・組織風土に対処する——適切な言葉を選ぶことで従業員の意識を変えられる

・報酬体系を変える——非金銭的な報酬も効果が高い

☑ **能力育成に投資する**

・個人を教育する——オープンイノベーションに必要な能力を

＊1　Rus, Diana, Barbara Wisse and Eric F. Rietzschel [2016], "An Open Invitation to Open Innovation," in Markman Arthur B. (ed), Open Innovation, Oxford University Press.

第**9**章

伸ばす

・社内ネットワークを促進する──横断チームの結成や配置転
　換が効果的である

オープンイノベーション活動に関わる人材要件

　オープンイノベーション活動を推進するうえでは、社内のさま
ざまな人々が関わってくる。オープンイノベーションに関する深
い理解とリーダーシップのあるトップマネジメントの存在には多
様なメリットがあるし、支援対象組織に協力者がいれば業務が進
めやすくなる。一方で最低限必要なのは、オープンイノベーショ
ンチームのメンバーと探索ニーズを出してくれる担当者である。

図4-1（再掲）　オープンイノベーションチームの業務の流れ

　オープンイノベーションチームのメンバーには、以下2つのス
キルが求められる。

☑重要度が高い探索ニーズを収集するための、課題解決コンサル
　ティング力
☑ニーズに合ったシーズを探索するための、オープンイノベー
　ションの手法／仲介サービスの活用力

　その他にリーンスタートアップやデジタル技術についての知見

があると、支援の幅が広がるし、法務知財関連の知識やスキルが
あれば、交渉時に役に立つ。一方で各種専門分野の知見はあれば
よい程度で優先度は高くない。

　次に支援対象組織の担当者の要件を考えてみたい。社外との協
業プロジェクトは社内のものと比べて難易度が高いため、推進す
るには相応の力が求められる。そしてオープンマインドを持って
いることも重要である。実務能力が高くとも、すべて自分で完結
したいという人には向いていない。またオープンイノベーション
のような仕組みレベルの話に興味があると、より効果的に支援で
きる。

　続いて具体的な対策について考えてみると、オープンイノベー
ションチームのメンバーは外部採用を考えてみるとよい。少々古
いが求人市場におけるオープンイノベーション関連職について調
べた論文が報告されており、対象期間の2014〜2016年で、求人
数が増加傾向にあることが確認されている。国内ではまだ少ない
が、オープンイノベーション活動に取り組む企業が増えるに伴い
今後は増加していくのではないだろうか。＊2

　外部人材を採用できない場合の選択肢も考えてみたい。まず思
いつくのは第3章で説明したオープンイノベーション仲介業者の
活用である。仲介業者の中には協業パートナーの探索サービスを
提供する以外に、オープンイノベーション活動に関するコンサル
ティングを実施しているところがある。しかしながら顧客企業は

＊2　Dabrowska, Justyna and Daria Podmetina [2017], "Roles and responsibilities of open innovation specialists based on analysis of job advertisements," Journal of Innovation Management, 5(4), 103-129.

極端に言えば自社の探索サービスを押し込む対象であり、中立的なアドバイスは期待できないと思ったほうがよい。

　次に自社の探索サービスを持っていないコンサルティング会社によるサービスであるが、ある程度は中立的な観点から包括的な支援が受けられるため、予算面で問題がなければ有効性は高いと思われる。最後は第3章で紹介したノウハウを持った個人の探索に活用できる専門家紹介サービスである。何よりも低コストで気軽に試せるため、オープンイノベーションチームのレベルでも使い勝手がよい。

　支援対象組織の担当者については、第4章ですでに述べたように、協力が得られて重要度が高い対象を優先するとよい。**ただし探索ニーズを出してほしいと言っても最初から出てくることはまずないため、1対1で話す機会を繰り返すことで、筋のよいニーズの発掘につなげていく。またシーズの探索過程やその後の協業プロジェクトを体験してもらうことで、少しずつ育成していきたい。**

Column

専門家紹介サービス

　現時点でもさまざまな仲介業者が専門家を紹介するサービスを提供しており、新たなサービスの立ち上げもそれなりに見られる。各サービスは強みとする人材や対応している支援方法が異なっており、相談内容が技術寄りかビジネス寄りか、単発で話を聞きたいか、もしくは半年など一定期間アドバイザーとして相談に乗ってほしいといった契約形態の違いによって、使い分けが必要となってくる。

　活用事例としてはDXや新規事業開発などイノベーション活動を推進するうえで課題が出てきたときや、他社に出遅れている分野や業務で短期間にキャッチアップしたいときが挙げられるが、その他にもいろいろなケースに対応できる。**従来であれば専門の企業に相談していた各種戦略の策定などについても、個人として受けてもらえる場合がある。企業を通さず直接的に個人に発注することで、安価に業務を委託できる。**

　人材に関係するという意味では、この種のサービスは本来人事部が管轄してもよい気がしている。しかしながら人事部は現場の部署から課題が集まるわけではないため、その必要性を感じていない可能性がある。よって課題解決コンサルティングを行うオープンイノベーションチームなど、イノベーション関連部署が全社的な窓口となって運用することが効率的かもしれない。

第9章

自前主義、NIH症候群（Not Invented Here症候群）

　オープンイノベーション活動ではさまざまな関係者に協力を求める必要があるが、その際に個人の心理に注意を払う必要がある。この点に関して頻繁に言及される言葉としてNIH症候群があり、「専門分野、組織／機能／職位、または地理上の位置の点で外部と見なされる知識に対して個人の否定的に形作られた態度によって引き起こされるバイアスであり、結果としてその知識の低評価または拒絶につながるもの」として定義される。

　Antonsによると、多くの文献においてNIH症候群は逸話的に描写されており、体系的な調査が行われてこなかった。NIH症候群は社会心理学の概念における特定の態度が持つ機能に由来している。この態度は、正確にはより複雑な概念として定義されているものの、ある程度は個人が持つ「好き嫌い」に相当するものである。そして社会生活や人的交流に影響を与える主要な決定要因と見られている。[3]

　HannenはNIH症候群に対して次の対抗策が実施されていることを報告している。[4]

＊3　Antons, David and Frank T. Piller [2015], "Opening the Black Box of "Not Invented Here" : Attitudes, Decision Biases, and Behavioral Consequences," Academy of Management Perspectives, 29(2), 193-217.
＊4　Hannen, Julian, David Antons, Frank Piller, Torsten Oliver Salge, Tim Coltman and Timothy M. Devinney [2019], "Containing the Not-Invented-Here Syndrome in external knowledge absorption and open innovation: The role of indirect countermeasures," Research Policy, 48(9), 103822.

☑従業員の異動

☑外部専門家の参加

☑パフォーマンスのマネジメント

☑組織の枠を越える担当者の任命

☑目的の設定

☑接触回数の増加

☑同僚や上司その他との相互学習

☑チェックリストの活用

☑情報のコントロール

☑NIH症候群についての教育

☑オープンイノベーションの実践

☑態度の変化を狙った説得

☑イノベーション文化の普及

　しかし、短期間で効果を発揮し、かつ個人として能力を開発できる対抗策は存在しないことが明らかになった。そこでより詳細な分析を通じて、他者の心理学的な観点に立って考える認知プロセスである「視点取得」というアプローチを提案している。視点取得を用いれば、重要な知識を他人と共有し、逆に他人から得られた情報をより深く評価できるようになる。具体的には、次の質問を行うことが推奨されている。

☑外部の知識や特定の解決策はどのように開発されたか？

☑解決策提供者の観点から見た主なセールスポイントは何か？

☑なぜ解決策提供者は知識を共有することに決めたのか？

☑なぜ解決策提供者はその知識に価値があると考えたのか？

NIH症候群に対し、オープンイノベーションチームが実際に取るべき行動について考えてみる。この影響度合いは個人によって異なるため、まずは外部の知識に対して負のバイアスが少ない支援対象組織の関係者を探すことから始めたい。できることが限られている活動の初期段階においては、対象を無理に広げる必要はない。

　次にオープンイノベーションについて教育する場を利用して、NIH症候群のことを紹介しておく。その際には、バイアスがあることを非難するのではなく、「あって当然」という態度を取ることをおすすめする。ここで前述したバイアスを取り除く技術など、個人が取れる対抗策についても説明しておくとよい。

　成功したオープンイノベーションプロジェクトが出てくれば、NIH症候群に対処した事例を共有する場を設けたい。その際に外部のシーズに対して持っていた負のバイアスについて正直に話してもらうと効果的である。これらの活動を行いつつ、長期的には適切なインセンティブの設定や従業員の異動を通して企業文化自体を変革させていくことになる。

第 10 章

オープンイノベーションと
知的財産権：
成果を出した先進的な企業は
何をやったか

オープンイノベーションでは境界を越えた知識のやり取りが発生するため、知的財産権は重要なトピックとなる。本章では企業のオープンイノベーション担当者が知っておくべき活用方法も含めて紹介する。

知的財産権の保護が
オープンイノベーションに与える影響

　知的財産権の過剰な保護はその価値の際限のない増大を招くため、オープンイノベーションにおける知的財産権の買収・譲渡・ライセンシングを阻害する。一方でまったく保護がない状態では、各々の企業が外部への情報流出を恐れてクローズドイノベーションから抜け出せない。オープンイノベーションを促進するためには、知的財産権を適切に保護する仕組みが求められる。

　企業の立場では、買収しようとしている知的財産権の法的保護の確認や、権利の残存期間・範囲などに基づく強さの査定が容易に行えるようになるほど、オープンイノベーション活動に取り組みやすくなる。Péninは第三者が最小限のコストと最低限の不確かさのもとで、関連特許の同定・技術的な境界の理解・所有者の同定が行えるときにのみ、オープンイノベーションが促進されることを報告している。[1]

　第1章(P.39)でオープンイノベーションと財務パフォーマンスの間にS字型の関係性があることを示した報告を紹介した。**本報告では技術に対して効率的な法的保護のメカニズムが働く場合には、高レベルのオープンイノベーションから十分な利益が得られることが明らかになっている。**このように知的財産権を取り巻く環境は、オープンイノベーション活動に大きく影響する。

第
10
章

＊1　Pénin, Julien and Daniel Neicu [2018], "Patents and Open Innovation: Bad Fences Do Not Make Good Neighbors," Journal of Innovation Economics & Management, n° 25, 57-85.

オープンイノベーション活動における知的財産権

　続いてオープンイノベーションチームの立場で知的財産権について考えてみる。Lindegaadは大企業がオープンイノベーション活動を行う際の知的財産権の取り扱いについて報告している。*2

☑ 過去数年間でより多くの企業がオープンイノベーション活動で成果を出すようになってきており、それにつれて知的財産権についての質問が少なくなってきた

☑ 現在では知的財産権の問題は、オープンイノベーションカンファレンスの主要な議題ではない

☑ リスクを最小限にすることのみを意識してきた大企業の知財部は、協業パートナーとの取り組みを機会と見るようになってきている

☑ 以前は大企業と中小企業が協業する際に、大企業側が法律用語で満ちた長文の契約書類を準備し、中小企業側がそれを読み解くために弁護士を雇って対抗するという不毛なやり取りが行われていた

☑ オープンイノベーションで成果を出している大企業は、協業パートナー候補との対話を促進するためのシンプルな書類やアプローチを開発してきた

☑ 最終的には契約書類が必要だとしても、最初に要点のみ記した短い書類を準備することで協業交渉を効率よく行える

　このように2011年の時点で、先進的な企業は知的財産権の取

＊2　Lindegaard, Stefan [2011] Making Open Innovation Work, CreateSpace Independent Publishing Platform.

り扱いに習熟していることがよくわかる。したがって何か問題が発生した場合には、過去の議論を調べることで解決できる可能性が高い。

第2章で説明したWFGMモデルのGetフェイズにおいては、協業パートナーとの契約交渉が発生する。実際の業務は知財法務部に任せるにしても、オープンイノベーションチームも契約について一通りのことは知っておきたい。例えば下記など、さまざまな書籍が存在する。

☑鮫島の書籍では、特許が関連する契約のポイントがまとめられている[*3]

☑山本の書籍では、ベンチャー企業との契約のポイントがまとめられている[*4]

オープンイノベーションコンテストと知的財産権

オープンイノベーションコンテストでは不特定多数の問題解決者が関わることから、知的財産権に関する特別な配慮が必要となってくる。この点に関してはde Beerの報告が参考になる。[*5]

☑提案を活用する際には、問題解決者の許可を得る必要がある

☑実施主体である問題提供者がより多くを求めるほど、問題解決

*3　鮫島正洋 [2022]、『第2版 技術法務のススメ 事業戦略から考える知財・契約プラクティス』日本加除出版。
*4　山本飛翔 [2021]、『オープンイノベーションの知財・法務』勁草書房。
*5　de Beer, Jeremy, Ian P. McCarthy, Adam Soliman and Emily Treen [2017], "Click here to agree: Managing intellectual property when crowdsourcing solutions," Business Horizons, 60(2), 207-217.

者の参加するモチベーションが低下する

☑実施する際には、法的な基盤として注意深く検討された利用規約が必要である

☑利用規約は法的に正しいだけでなく、参加する問題解決者にとって公正に感じられるものでなければならない

☑問題解決者を利用規約に同意させる方法にはさまざまな種類があるが、承認ボタンのクリックにより画面上の契約内容が承認されたとするクリックラップ契約が一般的である

☑問題解決者はアイデアを活用してもらいたいと思って提案するが、黙示ライセンスに頼らずに使用許可を利用規約に含めるべきである

　不安がある場合は経験豊富なオープンイノベーション仲介業者が提供しているサービスを活用すれば、知的財産権に関する問題に対応してもらえる。

知的財産権を活用した機会の探索

　特許は各企業やその他の研究開発組織の戦略を映し出したものと考えられるため、オープンイノベーションの機会を探すための有用なツールとなりうる。特許データははるか昔から存在するものであるが、以前は紙ベースであったこと、また言語の違いの問題から活用が困難であった。しかしながら現在ではデータベースが整備され、さまざまな解析ソフトウェアやAIを用いたデータマイニングサービスも出てきている。

　Germeraadは特許データベースを用いてオープンイノベーショ

ンの機会を見つける方法を提案している。[6]

☑ アウトサイドイン型のオープンイノベーションにおける成功の
　鍵は、どの技術や解決策を外部に求めるかを素早くかつ精度よ
　く見極めることである

☑ 現時点で特許が確認されていない領域では自社開発やアカデミ
　ア／企業との共同研究／開発を行い、すでに特許が多数存在し
　ている領域では実証済みの技術を調達することが基本的な戦略
　となる

☑ 対象技術を特定した後に特許データベースからオープンイノ
　ベーションの機会を見つけるステップは以下の通り

　・対象技術が属する分野を取り巻く状況や見通しを理解する
　・本分野における直近のトレンドを理解する
　・対象技術に焦点を当てて状況を理解する
　・考えられる限りの選択肢を抽出する
　・それぞれの選択肢における特許リスクを見積もる
　・SWOT分析を行ってオープンイノベーションプロジェクトの
　　方針を決める

第
10
章

　これらは専門的なスキルを必要とするため、オープンイノベー
ションチーム自身が実行するには荷が重い。企業としては知財法
務部が実務を行うことになるだろう。一方で次のようなサービス
も出てきており、チームが窓口となって活用できる。

---

[6] Germeraad, Paul and Wim Vanhaverbeke [2016], "How to Find, Assess and Value Open Innovation Opportunities by Leveraging IP Databases?," les Nouvelles - Journal of the Licensing Executives Society, LI(3), 154-166.

VALUENEX

https://www.valuenex.com/jp/valuenex-radar

類似特許の探索ツールなど特許情報を軸に、さまざまなテキストデータを扱うコンサルティングを提供している

アスタミューゼ

https://www.astamuse.co.jp/service/

技術／知財データに加えて、ベンチャー企業／研究テーマ／商品・サービス・アイデアに関する投資額データを組み合わせたコンサルティングを提供している

Column

オンライン特許市場

　オープンイノベーション活動を推進していると、未使用特許を有効活用したいという相談が出てくる場合がある。これはインサイドアウト型の活動の一種であるが、一般的には難易度が高く、成果が出にくい取り組みである。そもそも使用していないということは、自社が有効活用できるビジネスモデルを生み出せなかったということであり、そのようなものを欲しがる企業を探すのは困難である。

　関連する話として、研究開発に関わる人であれば誰しも、特許売買のプラットフォームの可能性を考えたことがあるかもしれない。これに関してオンライン特許市場を20年間運用してきた仲介業者のyet2.comが振り返りを行った記事がある。[7]

☑ 1999年にyet2.comが大企業を顧客としたオンライン特許市場を立ち上げた

☑ 数年間は登録数・マッチング数が着実に増加し、有名企業の取引も拡大していった

☑ より持続的なビジネスモデルにピボットして、2019年にオンライン特許市場から撤退した

☑ 立ち上げ時に存在した30社の競合サービスは、いずれも現時点で存続していない

☑ 過去20年間に毎年1〜2社の市場が生まれたが、どれも成

＊7　Marcus Widell [2021], Why Online IP Marketplaces Fail, https://www.yet2.com/why-online-ip-marketplaces-fail/.

功しなかった

☑**市場の運営から得た学びは以下の通り**

・買い手の交渉力がはるかに強い

・大企業が売ろうとする技術は面白みがない

・ベンチャー企業を代理しても継続して儲けられない

・特許売買ではデジタルの強みが活かせない

・成功報酬に基づいたアプローチには持続性がない

　結局のところ、シーズ起点の取り組みは難しいということではないだろうか。アウトサイドイン型のオープンイノベーション活動のほうが容易であるし、オープンイノベーションチームの判断で社外の情報を集めてくるよりも、探索ニーズの収集から始めるほうが効率的に業務を行える。新規事業開発ではソリューションではなく顧客から検討を始めることが推奨されているが、ニーズ起点であるところが共通している。

オープンイノベーションと情報収集：ルーティンとして押さえておきたいノウハウを解説

オープンイノベーション活動において、情報収集はルーティンの1つである。しかしながらノウハウなどに言及されることは少なく、困っている担当者も多いのではないだろうか。本章では特定の業界によらない、汎用的な方法をお届けする。

シーズに関する情報

　情報収集の対象には、特定分野のシーズとオープンイノベーションに関するものの2つがある。前者は自社の重点領域での活動を支援するために、後者はオープンイノベーションチームの生産性の向上を目指して行うものである。シーズ情報の収集は、以前から企業内のさまざまな部門で行われてきた。

　オープンイノベーションチームを探索に特化した機能部門と考えた場合、特定分野の専門知識は必ずしも必要ではない。あれば課題解決コンサルティングなどに役立つのは確かであるが、オープンイノベーションの手法やサービスを使って探索するぶんには、ニーズ元の担当者と協力することで十分に補える。

　ただし、オープンイノベーションチームにコーチに加えてプレイヤーとしての役割まで期待するなら、話が異なる。最新の文献調査や展示会での情報収集を通じたシーズのスカウティング、それらに基づいた戦略の策定や協業プロジェクトへの深い関与などを担う場合には、特定分野の専門知識がないと貢献できない。このあたりはチームの目標や組織内での位置づけによって変わってくる。

　しかしながら専門性の深さという点では、最前線で実務を行うニーズ元の担当者にはかなわないと思われる。よってオープンイノベーションチームならではの工夫が必要となってくる。例えば日常的な情報収集では、担当者がアクセスできないソースなど、何かしらの付加価値を加えたい。一方で展示会訪問には以下のよ

第11章

うなメリットがあることから、積極的に参加するとよい。

☑忙しい現場の担当者の代理を務められる
☑複数のニーズを知ったうえで参加すると、効率よく情報収集が
　行える
☑当該分野のトレンドがわかって学びになる

> **オープンイノベーションに関する情報①：**
> **オープンイノベーション仲介業者・**
> **他の企業のオープンイノベーションチーム**

　次はオープンイノベーション活動の改善を目的とした情報収集である。まず、第2章でも述べた仲介業者であるが、企業自身が見込み顧客となるため、こちらからアプローチしなくても積極的に接触してきてくれる。しかしながら自社サービスの宣伝に終始することが多く、それらに対して質問しても、欠点については語ってくれないと思っておいたほうがよい。一方で、他の仲介業者に関する情報が得られる場合もある。

　また仲介サービスを利用すれば、その過程でノウハウを学べる可能性がある。仲介業者によっては探索活動の大半を代行してくれるが、その場合は協業パートナーが見つかったとしても、探索についての学びが得られなくなってしまう。そこで、例えばオープンイノベーションコンテストに関するサービスなら、募集要項の作成や認知活動の実施を積極的に手伝うことをおすすめする。

　仲介業者の立場からすると、顧客が自ら活動を実施できるようになると、仕事の減少につながりかねない。その点を考えると協

力を得るのは難しい可能性もあるが、中には顧客の成長に貢献したいという真摯な気持ちを持った支援者も存在している。よって顧客側が学びたいという姿勢を見せれば、積極的に協力してくれるかもしれない。むしろ成長を助けてくれるか否かで仲介業者を選んで活用していく姿勢がよいだろう。

そのほかの情報ソースとして、他の企業のオープンイノベーションチームについて考えてみる。前述のように企業でオープンイノベーション活動を推進していれば、多くの仲介業者から売り込みを受けている。その際に価格を含めた幅広い情報が取れるし、実際に仲介サービスを利用していれば、より信頼性が高い。そのため機会を見つけて交流するとよい。またその際はこちらからも積極的に情報を提供していきたい。

例えば以下のような場が活用できる。
企業研究会：オープンイノベーション推進者交流会議
https://www.bri.or.jp/openinnovation/
KSP：協創マッチングフォーラム
https://www.ksp.co.jp/service/matching/forum.html
京都リサーチパーク：KRP OPEN INNOVATION CLUB
https://www.krp.co.jp/innovation/

第11章

その他には展示会でのコンタクトや仲介業者に紹介してもらう手もある。より日常的に他の企業の担当者と出会える場があればよいが、現時点では見当たらない。ぜひともJOICあたりに検討してほしいところである。

オープンイノベーションに関する情報②：
セミナー／カンフェレンス・論文／書籍

　仲介業者や他のオープンイノベーションチームのような人を介したものだけでなく、セミナーの聴講などでもオープンイノベーションに関する情報を収集できる。

　仲介業者が見込み顧客を集めるためのセミナーを頻繁に開催しており、自社サービスの活用実績がある企業担当者によるものが一般的である。多くは長い自社紹介から始まり、新規取り組みを紹介するに留まって、実務的なノウハウの説明は限られている。あまり得るものはないかもしれないが、経験がない初期の段階では、雰囲気をつかむためにも参加してみるとよいだろう。

　一方で海外に目を向けてみると、米国のInnovation Research Interchange（IRI, 以前の名称はIndustrial Research Institute）という団体がイノベーションに関する各種ワークショップを開催している。WFGMモデルの開発に関して深い関わりがあったり、また参加している企業の間で仲介業者についての情報交換が行われたりしているようである。オンライン参加できるものもある。

　オープンイノベーション活動に役立つ情報を得るという意味では、国内では目ぼしいカンフェレンスは多くない。**海外ならWorld Open Innovation Conference（WOIC）がおすすめである。本会は最新の学術研究を企業でオープンイノベーション活動を推進する実務家が直面する課題と組み合わせ、さらに政策立案者を巻き込んだ議論も行う場と位置づけられている。**

　もともと2014年にChesbroughが立ち上げた団体で、アカデミアだけでなく、企業の実務家も多数発表しており、オープンイノベーションに関するグローバルトレンドがよくわかる。こちらもCOVID-19のパンデミックに合わせて直近のものはオンライン参加が可能であった。ちなみに筆者は過去4回に参加したが、日本人の参加者は各回数人程度しか確認できなかった。

　セミナーなどに参加すると、登録したメールアドレス宛に各種案内が送られてくる。多過ぎると大変になるが、目を通しておくだけでもよい。またJOICに加入するとメールマガジンで経済産業省／NEDOのイノベーションに関する各種情報を受け取れる。無料であるし、まずは登録しておけばよいのではないだろうか。

　最後に論文や書籍を通じた情報収集を紹介したい。大きな費用も掛からず、モチベーションと時間さえあればすぐに始められる。多数の学術雑誌があるが、個人的には、Research Policy・R&D Management・Technovationなどが参考になっている。

　論文には特定の企業の事例を扱った研究があり、より深い知見が得られる。類似の取り組みを行う際の参考になるし、目指すべき方向性を考えるときにも役に立つ。また社内で質問された際に説得力のある返答ができるメリットもある。相手が求める情報を提供できれば、社外のネットワークの構築にも有用である。

　書籍に関しては日本語に訳されないことも多いため、英語で書かれたものも積極的に読んでいきたい。例えば次の4点がおすすめできる。

第11章

①Slowinski, Gene [2004], Reinventing Corporate Growth, Alliance Management Group Inc.; Gladstone.

　第2章以降で繰り返し言及している、Slowinskiによる書籍である。WFGMモデルが開発された経緯やノウハウがまとめられている。

②Lindegaard, Stefan [2010], The Open Innovation Revolution: Essentials, Roadblocks, and Leadership Skills, CreateSpace Independent Publishing Platform.

　第10章で紹介したイノベーションコンサルタントのLindegaadによる書籍である。リーダーシップなど、オープンイノベーションの人的側面に焦点を当てた記載が多い。

③Lindegaard, Stefan [2011], Making Open Innovation Work, CreateSpace Independent Publishing Platform.

　同じくLindegaadによる書籍。幅広くイノベーションを扱った前著と比べ、より実践的な内容となっている。

④Mention, Anne-Laure, Arie P. Nagel, Joachim Hafkesbrink and Justyna Dabrowska (eds) [2016], Innovation Education Reloaded, Open Innovation Network.

　第9章で紹介したOI-Netによる書籍で、500ページ以上にわたって幅広いトピックを扱っている。引用文献が豊富で、辞書的に活用できる。PDF版が無料で配布されている。

　情報収集には即効性はないものの、長い目で見ると活動の生産性に大きく影響する。継続には習慣化が有効であるが、そのためには好きになれないと難しい。これは特定分野のシーズとオープンイノベーションの両方に共通している点である。よって業務として割り当てるのではなく、オープンイノベーションチームの中でも向いた人が自主的に行うことが望ましいと考える。

オープンイノベーションとDX・新規事業開発：活動の幅を広げる役立つツール群

「DX」と「新規事業開発」は、オープンイノベーションと並んで頻出のキーワードである。本章ではオープンイノベーション担当者の視点で、両者に向き合う。オープンイノベーション活動の幅を広げることに役立ててほしい。

イノベーションの専門分野としてのDX・新規事業開発

「ビジネスに関するあらゆる物事にデジタル技術を活用して競争力を向上させる試み」として定義できるDXと、リーンスタートアップといった方法論が話題になる新規事業開発は、オープンイノベーションと同じく、イノベーションという広いカテゴリーの中で活発に議論されている。そこでオープンイノベーション活動を推進する観点から、両者と関連する話題を紹介したい。

イノベーションマネジメントソフトウェア

デジタル技術を活用したオープンイノベーション活動の効率化という観点では、プラットフォームとなるソフトウェアの導入が考えられる。「イノベーションマネジメントソフトウェア」（IMS）と呼ばれ、アイデア投稿・アイデアコンテスト・テクノロジースカウティング・アイデア評価・参加者間のコミュニケーション・報酬の設定・ワークフロー・プロジェクトマネジメント・各種分析機能などを持っている。

企業内のシンプルなアイデアマネジメントを対象としたソフトウェアは十数年前から存在していたが、クラウドソーシングを含めたオープンイノベーション活動の普及に伴って機能が拡張されてきた。現在では何十ものベンダーが複数バージョンのソフトウェアを提供しており、さまざまな業界において主に大企業に活用されている。オープンソースのため無料で利用できるものから高価格帯で販売されているものまで幅がある。

第12章

175

企業がIMSを用いることで得られるメリットは以下の通り。

☑ **イノベーション活動の最適化**
リソース配分を検討する際、アイデアやプロジェクト間の比較が容易になる

☑ **意思決定の改善**
判断のタイミングが明確になる

☑ **製品／サービス開発時間の短縮**
関係者で情報が共有されるため、それぞれのアクションが早くなる

☑ **アイデアソースの増加**
アイデアやアクションの処理効率が向上する結果、イノベーション活動に社内外の人々を多数参加させられる

☑ **評価指標の蓄積**
さまざまなデータが自動で収集されるため、イノベーション活動の改善につながる

グローバルベンダーの中で日本においてソフトウェアを提供しているところには、IdeaScaleとQmarketsの2社がある。また国内ベンダーとしてはThrottleを提供しているRelicがある。

「IdeaScale」
https://ideascale.com/
「Qmarkets」
https://www.qmarkets.net/
株式会社Relic「Throttle（スロットル）」
https://relic.co.jp/services/throttle/

　2021年にEndresはドイツの企業を対象にIMSの使用の有無と採用に影響する要因を調査した研究を報告している。[*1]

☑ **さまざまな文献がデジタル化によって新製品開発の効率が高まることを報告しているが、IMSの導入についても当てはまるかどうかは実証されていない。経営者にとっては、どのIMSがどのような特定の状況下で価値をもたらすかのほうがより重要である**

☑ **ドイツ企業のイノベーションマネージャーに実施したアンケート調査の結果は以下の通り**

　・回答企業の従業員数の内訳

　　1万名以上：19%

　　1,000〜1万名：24%

　　50〜1,000名：19%

　　250名以下：38%

　・45%の企業がIMSを使用している

　・IMSの導入は新製品開発の効率と正の相関があるが、その業績への貢献には有意な影響を与えない

　・IMSのアイデア／製品／戦略を管理する3つの機能の中で、導入理由としてはアイデアの管理にのみ正の相関がある

☑ **イノベーションマネージャーは、対象が多く作業負荷が高いアイデア管理を効率化したいと考えている一方で、意思決定に対して恣意的な決定余地を残したいがゆえに、そのほかの機能は求めていない可能性がある**

第
12
章

＊1　Endres, Herbert, Stefan Huesig and Robin Pesch [2022], "Digital innovation management for entrepreneurial ecosystems: services and functionalities as drivers of innovation management software adoption," Review of Managerial Science, 16, 135-156.

以上のようにグローバルではそれなりに普及しているようであるが、現時点ではいまだ競争の初期段階にあり、業界標準となるものが定まっていない状況にある。かつ実際に使ってみるまで判断できない点も多いであろうことを考えると、どれを選択すればよいか迷うのではないだろうか。そもそも国内の多くの企業にとっては、いまだ導入する時期ではないかもしれない。

　このようなソフトウェアを選定する際に検討すべき点としては、セキュリティー・コミュニケーション・ワークフロー・得意分野・提案マネジメント・パフォーマンスマネジメント・社内のその他のソフトウェアとの相性・使い勝手などがある。自社の全要望を満たすものを見つけることはできないため、ある程度は妥協する必要があるだろう。むしろソフトウェアに合わせて自社の業務を変えることで生産性が向上する可能性もある。

　また実際に導入するとなると、企業内部での高いハードルが予想される。本ソフトウェアは多機能であるため、本格的な運用では多くの既存業務への影響がある。例えばプロジェクトマネジメントをスプレッドシートで行っていれば、移し替える必要が出てくる。導入にあたって説得しなければならない関係者の数が増えれば増えるほど、既存のやり方を変えたくない人々が反対する確率が高まってくる。

　そこで有効なのが目的の絞り込みである。オープンイノベーションチームが担当する業務に用途を限定すれば、自身の裁量で進められる可能性が出てくる。その1つが社内を対象としたオープンイノベーションコンテストである。このような取り組みを現

在人手で実施しているなら、工数削減として本ソフトウェアを導入するためのよい名目となるだろう。

テクノロジースカウティングツール

オープンイノベーション業務のDXという意味では、AIを活用して協業パートナー候補を抽出する「テクノロジースカウティングツール」も重要である。実際にPresansやideXlabのようなオープンイノベーション仲介業者も、AIを活用した専門家の探索を実施している。イノベーションマネジメントソフトウェアと同じくまだ標準となるものは定まっていないようであるが、機能が限定されているため、気軽に試してみてもよいかもしれない。

国内では富士通グループのジー・サーチが論文データベースをAIで解析し、研究者の専門性・研究推進力・共同研究実績などから課題解決に適した研究パートナーを特定するサービスを提供している。

株式会社ジー・サーチ「JDream Expert Finder」
https://jdream3.com/service/expert-finder/

またカーネギーメロン大学のスピンオフとして設立されたWellspringが2019年に日本法人を設けており、AI を搭載した技術探索・分析ツールを提供している。

Wellspring Japan合同会社「スカウト」
https://www.wellspring.com/ja/products/scout

第6章(P.95)でも述べたが、本ツールにはテクノロジースカウ
ティング以外の使い道がある。オープンイノベーションコンテス
トで認知活動を行う際には、協業パートナーを精度よく特定する
必要はない。募集内容に対する適合性を判断するのは問題解決者
側であることから、本ツールで可能性のある問題解決者の母集団
を大まかに把握し、そのすべてに募集を告知して提案を呼びかけ
ればよい。

リーンスタートアップ

　多くの企業において新規事業の創出が重要課題となっているが、
そのための方法論としてリーンスタートアップが普及してきた。
リーンスタートアップは、「仮説構築のためのビジネスモデルキャ
ンバス」・「仮説検証のための顧客開発モデル」・「必要最小限の機
能 を 持 っ た 製 品 や サ ー ビ ス で あ る MVP（Minimum Viable
Product）の改良を繰り返すアジャイル開発」の3要素で構成され
る。これによって、作ったものの売れないリスクを低減しながら
新規事業開発を推進できる。[*2]

図12-1　リーンスタートアップに基づいた新規事業開発の流れ

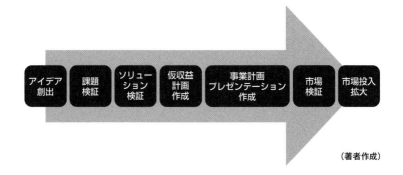

（著者作成）

　オープンイノベーションでは既存事業だけでなく、新規事業も支援できる。Chesbroughはオープンイノベーションには大企業のリーンスタートアップの活用を促進する効果があることを報告している。＊3

☑アウトサイドイン型
- MVPの作成を協業パートナーに依頼すると、素早い学びが実現できる
- 顧客からインプットを得る際に外部のコンサルタントを活用すると、社内の営業チームに邪魔されない
- イノベーションチームが直接外部の業者とやり取りすると、調達部門が障害とならない
- 外部のリソースを活用すると、社内の人々を説得する手間が省ける

☑インサイドアウト型
- 未使用技術を外部にライセンシングすると、開発資金の一部を回収できる
- シーズを提供した協業パートナーを観察することで、間接的にビジネスモデルの探索が行える

　オープンイノベーションチームがリーンスタートアップを知っておくべきか否かは、支援対象組織が新たなビジネスモデルの探索や新規事業の創出に関与しているか否かで決まる。研究所で基礎研究を行っていたり、事業部で製品開発を行っていたりする部

第12章

＊2　スティーブン・G・ブランク 堤孝志・渡邊哲訳 [2016],『新装版 アントレプレナーの教科書』翔泳社。
＊3　Chesbrough, Henry and Christopher L. Tucci [2020], "The Interplay Between Open Innovation and Lean Startup, or, Why Large Companies are not Large Versions of Startups," Strategic Management Review, 1(2), 277-303.

署のみが支援の対象なら、リーンスタートアップの知識は必要ない。その場合は余裕があれば学んでおく程度でよいだろう。

一方で研究所における新規素材の用途探索や、事業部における新製品／サービスの創出に取り組む部署を手伝う場合には、知っているほうが支援しやすくなる。さらにはオープンイノベーションチーム自身が新規事業プロジェクトを抱える場合には、コーチの役割である従来の業務と違ってプレイヤーとして動くことになるため、リーンスタートアップの知見は必要不可欠である。

また最近では仲介業者がサービスの幅を広げて新規事業開発の支援も行うようになってきている。これらを活用する場合は企業側も窓口を統一したほうが効率的にやり取りできるため、業務内容に関わらず、馴染んでおいたほうがよいかもしれない。**繰り返しになるが、オープンイノベーションとリーンスタートアップには相乗効果がある。よって基本的な内容程度は押さえておきたいところである。**

新規事業開発プログラム

前述のようなリーンスタートアップやデザイン思考などの方法論が開発されたことで、新規事業開発が1つの専門分野として確立されてきている。効率的に学習できる環境が整ってきたことにより、各企業が自社に適した新規事業を継続的に生み出す仕組みを開発していく流れが今後は想定される。各種戦略や企業文化に適したものを見出していく必要がある点で、オープンイノベーション活動と似た状況にある。

　この流れに関連する話題として、第7章でコーポレートベンチャリングの手法の1つとして言及した「ベンチャービルダー」を紹介したい。ベンチャービルダーは新規のベンチャー企業を体系的に設立・拡大させる機能を持った組織であり、その他に「ベンチャー（スタートアップ）スタジオ」や「カンパニービルダー」、「スタートアップファクトリー」などと呼ばれることもある。

　独立したベンチャービルダーの起源は1990年代後半にさかのぼり、現在の代表的な企業として、シアトルに拠点があるPioneer Square Labsが挙げられる。初期には北米を中心に設立されていたが、その後は欧州を中心に世界各地で事例が見られる。またP&GやSamsungのような大企業が独立系のベンチャービルダーと提携して独自のプログラムを立ち上げた例もある。

　ベンチャー企業を生み出すという点に関して、ベンチャービルダーとその他支援組織や手法との違いにも触れておく。ベンチャーキャピタルはすでに設立された企業への投資と支援に重点を置いており、実行の主体はベンチャー企業である。インキュベーターやアクセラレーターはより踏み込んだ支援を提供するが、これらのプログラムは提供期間が限られており、結局のところベンチャー企業の運営における責任を全面的に引き受けるわけではない。一方でベンチャービルダーは以下の特徴を持つ。

第12章

☑ベンチャー企業を0から立ち上げ、成熟するまでの過程の大部分に関わり続ける
☑ベンチャー企業の運営に重要な責任を負う
☑ベンチャー企業創出プロセスに繰り返し関与し、改善していく

新規事業を継続的に生み出す仕組みの構築を迫られた大企業にとって、工場のようにベンチャー企業を次々と生み出していくベンチャービルダーという手法やそれを実践する組織の動向は、自社の取り組みの参考として注目すべき対象である。加えて、前述のように大企業にサービスを提供する組織もあることから、活用の可能性を検討してみるとよいだろう。

また別の話題として、新規事業開発プログラムで扱うプロジェクトの種類についての観点がある。 これに関してCordesがドイツの大企業における21個のイノベーションラボを対象として調査した研究を紹介したい。[*4]

☑ **新規事業開発プログラムは失敗確率が高く、その理由として以下が挙げられている**
- ・企業戦略との整合性の欠如
- ・コミットメントの欠如
- ・不適切なチーム
- ・精度の低い評価システム

☑ **中でもプロジェクト評価の質の低さが、取り組みの主な失敗原因として複数の文献で報告されている**

☑ **本研究では、評価システムの設計方法と以下の3つの要素の間の依存関係を調査した**
- ・プロジェクトのパフォーマンスが評価される時点での評価日
- ・実際に評価する際のアプローチと指標としての評価方法
- ・評価を行う個人としての評価主体

---

*4　Cordes, Andreas, Carsten C. Guderian and Frederik J. Riar [2021], "Exploring the Practice of Evaluation in Corporate Venturing," International Journal of Innovation and Technology Management, 18(5), 2150026.

☑ 新規事業開発の各プログラムは以下の10個の要素で特徴づけられた

- 対象産業：狭い／広い
- 戦略的論理：探索／深化
- イノベーションの時間軸：短期／中期／長期
- 顧客の種類：社外／社内
- メンバーの出所：日常業務／イノベーションラボ
- メンバーのコミットメント：パートタイム／フルタイム
- ソリューションの種類：デジタル／非デジタル
- ソリューションの特性：補完／代替
- ビジネスモデル：B2C／B2B
- 資金の出所：中央／分散

☑ 一定の傾向はあるものの、要素の組み合わせはプログラムごとにまちまちであった。中でもわかったことは以下の通り

- プログラムのフェイズ数は、対象とするプロジェクト間の種類の違いがどの程度大きいかで変わってくる
- 評価日の設定は、ビジネスモデル・対象産業・ソリューションの種類に依存する
- 評価基準は評価時期のタイミングに依存し、初期段階では定性的基準が、後期段階では定量的基準と事実的基準が使用される
- イノベーションの時間軸が短期では古典的な事業計画、中期ではビジネスモデルキャンバス、長期では定性的な目標と定量的な指標を組み合わせた探索行動計画によって評価される
- 評価主体の構成として、評価者の選定はプロジェクトの背景に、職位レベルは評価時期に依存する

第12章

・資金調達の承認に必要なメンバーの数は、資金調達源に依存する

☑ 評価日・評価方法・評価主体の間には、相互依存の関係性がある

☑ 評価システムの設計は、プログラムの目的並びに個々のプロジェクトの特性に依存する

　本報告を踏まえると、**一口に新規事業開発プログラムと言っても、対象となるプロジェクトの種類によって運営のポイントが大きく変わってくることがわかる。**例えば、非デジタル系の企業がデジタルソリューションを対象としたプログラムを開始する場合、プロジェクトの多くがソフトウェアサービスの開発を目指すものになるとすれば、リーンスタートアップその他の開発手法が存分に適用できる。

　一方で非デジタルのものを含めた広範囲のプロジェクトを扱う場合は、プログラムの運営が難しくなる。①コンセプトフェイズ・②検証フェイズ・③開発フェイズ・④拡大フェイズのようなざっくりした段階に分けることしかできないし、プロジェクトに一律の評価基準を設定することも難しい。下手をすると単一のプログラムで扱う意味が感じられないほど、混沌とした状況になる恐れもある。

　このような場合は、外部の支援サービスの選択も困難になる。それぞれのサービスを提供する企業には得意／不得意な分野があると予想されるが、外部からの判別は難しい。しかし直接質問したとしても、仕事を受けたいサービス側からしてみると、できな

いことであってもできると言い張る可能性がある。一方で支援サービスの選択がプログラム立ち上げの成否に大きく影響するため、担当者やチームの力量が大きく問われることになる。

　最後に、人事に関する話題にも言及したい。新規事業開発を推奨する文化を醸成し、各種の方法論を教育すればするほど、独立心に富んだ社員が育成されていくことになる。一方で企業を取り巻く環境を見てみると、現在の求人市場では新規事業を推進できる人材に対するニーズが高まっていることから、優秀な社員が退社するリスクも念頭に置いておく必要がある。

　ごく一部の有名企業なら愛社精神でつなぎとめることができるかもしれないが、一般的には期待できないのではないだろうか。とはいえ、人事的に特別な待遇提供は他の社員への配慮から難しいと思われる。**そのため、アルムナイとしてつながりを維持することで、出戻りの可能性や副業人材として起用していくのがよいかもしれない。それによって辞めた社員が増えるほど、新規事業開発に役立つ外部の人材リソースが拡大できる。**

　またNokiaやPhilipsなど大企業が新規事業開発プログラムを人員削減と組み合わせた事例もある。前者においてはMicrosoftとの協業に伴う人員削減による従業員への悪影響を軽減することを目的として、2011〜2014年にBridge Programという名称で実施された。このように考えると、新規事業開発の仕組みづくりは人事部なども巻き込んだ全社横断の取り組みとして向き合うべきものかもしれない。

第12章

デジタル推進チーム・新規事業開発支援チーム

　DXを推進するにあたり、多くの企業が専属のデジタル推進チームを設置するようになってきている。またコーチングを行う新規事業開発支援チームを置いているところもある。リーンスタートアップを習得するには相応の学習が必要であるが、目の前の業務で忙しい研究または製品開発の担当者にはハードルが高い。支援チームを設置すれば、この問題を解決できる。

　デジタル推進チームと新規事業開発支援チームは、現場の担当者が持っている課題に対してデジタル技術やリーンスタートアップで解決策を提案する役割を担う。これはサービスを提供するという意味で、オープンイノベーションチームと同様の位置づけにある。よってそれぞれが自身の専門性に加えてお互いの知見を習得していけば、協力して課題解決に貢献できそうに思える。このあたりについては本書の最後で改めて検討したい。

非メーカー系大企業・中小ベンチャー企業・非営利組織のオープンイノベーション活動：各種組織での実施におけるメリットと課題

オープンイノベーションが議論される際には、研究開発型の大手
メーカーが取り上げられることが多い。本章ではそれ以外の組織
においても、オープンイノベーション活動が有効であることを説
明する。

非メーカー系大企業

　第1章で述べたように、オープンイノベーションの普及度合い
は企業が所属する業界を取り巻く3つのトレンド（イノベーショ
ン創出の難易度上昇・有用な外部知識の増加・外部知識の探索の
容易化）の違いによって変わってくる。例えば原子炉メーカーが
オープンイノベーションを採用したいと考えても、一部の企業や
研究者しか協業パートナーとなり得ないなら、効果が薄い。

　初期のオープンイノベーションの研究は、ハイテク業界などの
研究開発型企業を対象としたものが多かったが、非ハイテク業界
その他を対象としたものも増えてきている。本書では主に研究開
発部門を持つメーカーを前提として議論してきたが、WFGMモ
デルに基づいた協業パートナーの探索ニーズの収集から始まる
オープンイノベーション活動は、研究開発部門を持たない非メー
カー系企業にも適用できる。

Column
非ハイテク産業における科学的知識の商業化

　Woodfieldは非ハイテク企業が大学との協業を通して科
学的知識を商業化するパターンを調査した研究を報告して
いる。事例研究の対象はニュージーランドの非ハイテク産
業の企業群で、自身でソリューションを開発しないにして
も、大学で開発された知識や技術を商業目的で利用してい
ることが明らかにされている。特定された4つの商業化パ
ターンは次のとおり。[1]

第13章

＊1　Woodfield, Paul J., Yat Ming Ooi and Kenneth Husted [2023], "Commercialisation patterns of scientific knowledge in traditional low- and medium-tech industries," Technological Forecasting and Social Change, 189, 122349.

①科学化

- 既存の製品／資源の特性を科学的に分析する
- 体系的な検証が行われていない既知の特性がある場合に有効である

②自然の最適化

- 科学的な手法によって、商業的なニーズにより適合するように自然界のプロセスの重要な部分を改良する
- 原材料の供給・環境への配慮・経済性を求める産業上の必要性とのバランスをとる

③調和化

- 科学技術や社会科学的な知見に基づき、美的かつ機能的な製品を設計する
- 高性能・高耐久性・高コスト効率によって、競争上の優位性をもたらす

④技術化

- 科学技術を生産／プロセスに利用する
- 労働集約的な作業を最小限に抑える

中小ベンチャー企業

　本書で説明してきたオープンイノベーション活動は、大企業だけでなく中小ベンチャー企業でも実践できる。以前と比べてもこれらの企業を対象とした研究が報告されるようになってきた。少々古いが2015年のHossainの論文では、中小企業におけるオープンイノベーションの状況がまとめられている。[*2]

＊2　Hossain, Mokter [2015], "A Review of Literature on Open Innovation in Small and Medium-Sized Enterprises," Journal of Global Entrepreneurship Research, 5:6, DOI:10.1186/s40497-015-0022-y.

☑OECDの研究によると、積極的にオープンイノベーション活動
を行っている中小企業は5〜20%に過ぎない

☑中小企業にとってはR&Dのような初期的な活動よりも、商業化
におけるオープンイノベーション活動が役に立つ

☑中小企業は選択的な技術のみを保護しているため、大企業より
も注意深く特許を扱う必要がある

☑中小企業は大企業と比べて外部技術の導入に対する意欲が低い

☑中小企業は漸進的イノベーションよりも新製品開発に関連した
オープンイノベーションを好んでいる

☑企業年齢が若いほどオープンイノベーションを採用している

☑大企業と異なり国や地域の政策の違いが中小企業のオープンイ
ノベーションに重要な影響を及ぼす

☑中小企業は限定されたリソースのため、維持できるネットワー
クの数に制限がある

　中小ベンチャー企業は組織が小さいことからトップダウンによ
る全社的な変革への意思の統一が容易であり、大企業よりも短期
間でオープンイノベーションを根付かせられる可能性がある。こ
の点に関してUsmanは欧州の非ハイテク中小企業を対象として
経営者の役割を調査した研究を報告している。[3]

☑中小企業は経営者が事業運営や意思決定のさまざまな側面に責
任を負っており、正式な計画プロセスがないという特徴がある

☑中小企業のオープンイノベーションプロジェクトが失敗する理

第13章

＊3　Usman, Muhammad, Wim Vanhaverbeke and Nadine Roijakkers [2023], "How open
innovation can help entrepreneurs in sensing and seizing entrepreneurial opportunities
in SMEs," International Journal of Entrepreneurial Behavior & Research, DOI: 10.1108/
IJEBR-11-2022-1019.

由の1つとして、協業パートナーとのネットワーク構築・維持に対する経営者の役割についての理解不足が挙げられる
☑中小企業の経営者は、組織の垣根を越えたアイデアや知識の流れを利用することで、特定の分野に閉じる傾向を克服できる
☑オープンイノベーションを成功させるためには協業パートナーとのネットワークの管理が不可欠で、経営者の重要な役割の1つである

　一般的に大企業では計画者と実行者が分かれており、オープンイノベーション活動や新規事業開発のような不確実性が高い取り組みでは、情報がうまく伝達されない問題がある。一方で中小ベンチャー企業の場合は経営者に権限が集中していることが特徴で、経営者自身が積極的にプロジェクトに関わることで情報のロスが生じない。したがってイノベーション全般に向いた組織と言える。

　しかしながら実務的には、仲介サービスを使ううえでの資金やオープンイノベーション活動に当てる人材などのリソース面が課題となりがちである。また大企業と比べると知名度に劣ることから、協業パートナーを惹きつける力が弱い。よってアウトサイドイン型の活動の中でも、オープンイノベーションコンテストのような受動的取り組みに対するハードルが高い傾向にある。

　さらには中小ベンチャー企業は金銭的な余裕がないことからサービスに対して高い値付けをすることが難しく、オープンイノベーション仲介業者からすると対象として魅力が薄い。加えて間接部門の弱さもあって吸収力が低いため、協業パートナーを見つけて紹介するだけでは、その後の成果につながらない。したがっ

て民間企業による支援は難しく、公的機関や大学が担うべき領域
と言える。

　Franzòは、イタリアの仲介業者である知識／技術移転財団の
Hub Innovazione Trentino (HIT)が中小企業に適したコンテスト
設計の方法論を開発した過程の調査研究を行っている。パート
ナーが保有するシーズの評価・知財周りを含めた協業契約におけ
る交渉・協業プロジェクトが始まってからのハンドリングなどの
手厚いサービスについて、公的機関による提供の必要性が示唆さ
れている。[4]

非営利組織：大学

　オープンイノベーションを含めたイノベーションに関する研究
の多くはそれがもたらす金銭的な利益に焦点を当てており、結果
として民間企業を対象とした報告が多い。一方で民間企業から広
まったオープンイノベーションは公的機関や大学、NPOにまで広
まってきている。オープンイノベーションチームを協業パート
ナーの探索を行う機能部門として定義すれば、企業と同じく
WFGMモデルで運用できる。

　非営利組織としてまずは大学について考えてみるが、その主な
役割は研究と教育である。加えて昨今では社会貢献として、保有
するシーズの商業化にまで取り組みが進んでいる。**これはインサ
イドアウト型に当たり、大企業で一般的なアウトサイドイン型の**

第13章

＊4　Franzò, Simone, Nicola Doppio, Angelo Natalicchio, Federico Frattini and Luca Mion
[2023], "Designing innovation contests to support external knowledge search in small and
medium-sized enterprises," Technovation, 121, 102684.

活動と比べて難易度が高く、工夫が必要である。研究成果であっても、すでに開発済みで代替シーズに対して技術的な優位性があって用途が明確であるなど、少しでも成功確率が高いものに絞り込みたい。

　大企業のオープンイノベーションチームにおいては、担当者の能力も成否を大きく左右する。これを踏まえて大学でも、シーズを離れて産学連携に適した研究者の売り込みリストを作成したり、起業家の特性を持つ研究者を特定したりすることが効果的かもしれない。また大企業からの買収やライセンシングを狙うなら、定期的に大企業のニーズが集まる仕組みを構築するなどニーズ起点で考えたい。

　昨今のディープテック偏重など、政府の政策によって多くの大学が同じ方向を目指す現状は望ましくない。それぞれの大学が独自の方向を模索し、それに合った研究者を集めていくほうが健全ではないだろうか。単一の大学があらゆる要望に応えることは現実的ではないため、ベンチャーキャピタルの投資方針のように、得意とする分野を絞り込んで商業化を後押ししてもよいだろう。

　一方で大学の立場上、対象から外れた研究分野の案件の支援を投げ出すことは許されないと思われる。その場合は民間のサービスを紹介したり、他大学につないだりしてはどうだろうか。効率的に外部を活用するには、学外の情報に詳しいオープンイノベーション担当者を置くとよい。一方で後者に関しては、自大学の研究者に限定して支援する方針を取っているところもありそうである。

　なお、従来は企業を対象として行われてきたオープンイノベーション研究からの知見を、科学研究にも適用しようとする動きが見られる。これを「Open Innovation in Science」（OIS）と呼ぶ。専門分野の研究に分野外の研究者や非研究者を巻き込むことが議論されており、今後の研究方法に大きな影響を与える可能性がある。この点に関しても大学のオープンイノベーション担当者が貢献できるところがあるかもしれない。[*5]

非営利組織：政府

　非営利組織として他に積極的にオープンイノベーションを採用している組織としては、各国の政府があり、主に2種類の取り組みが見られる。1つ目は政府自身の生産性の向上のためにオープンイノベーション活動を活用するもので、イノベーションの公共調達と呼ばれている。2つ目は企業のオープンイノベーション活動を活性化するためのプラットフォームの構築である。

　非営利組織の中でオープンイノベーションに最も積極的な組織の1つが米国政府である。2009年にオバマ大統領が就任した直後、「Memorandum on Transparency and Open Government」という覚書が発行された。これは透明性・官民の協業・市民参加を原則として、政府の各組織がより外部に開かれることを目指すもので

*5　Beck, Susanne, Marcel LaFlamme, Carsten Bergenholtz, Marcel Bogers,Tiare-Maria Brasseur,Marie-Louise Conradsen, Kevin Crowston, Diletta Di Marco, Agnes Effert, Despoina Filiou, Lars Frederiksen, Thomas Gillier, Marc Gruber, Carolin Haeussler, Karin Hoisl, Olga Kokshagina, Maria-Theresa Norn, Marion Poetz, Gernot Pruschak, Laia Pujol Priego, Agnieszka Radziwon, Alexander Ruser, Henry Sauermann, Sonali K. Shah, Julia Suess-Reyes, Christopher L. Tucci, Philipp Tuertscher, Jane Bjørn Vedel, Roberto Verganti, Jonathan Wareham and Sunny Mosangzi Xu [2021], "Examining Open Innovation in Science (OIS): what Open Innovation can and cannot offer the science of science," Organization & Management, DOI: 10.1080/14479338.2021.1999248.

第13章

あった。それ以来、連邦機関はオープンイノベーションを取り入れた活動を行ってきた。

　2016年にアメリカ合衆国科学技術政策局（OSTP）とアメリカ共通役務庁（GSA）は懸賞金型の募集を行えるツールキットの提供を開始した。これを用いることで連邦機関は容易にオープンイノベーションコンテストを実施できる。GSAのオープンイノベーションプログラムでは、Challenge.govとCitizenscience.govの2つのクラウドソーシングプログラムが運営されている。[*6]

　Liotardは欧州委員会が実施してきたオープンイノベーションコンテストについてまとめた報告の中で、Challenge.govに関して以下のように言及している。[*7]

☑連邦機関の中ではNASA・保健福祉省（HHS）・環境保護庁（EPA）・アメリカ空軍が積極的にコンテストを立ち上げていて、分野としては科学技術に関するものが圧倒的に多い

☑各コンテストには金銭的／非金銭的な報酬が設定されており、設備投資や深い専門的な知識が必要されるものほど高額で、賞金額は一般市民でも参加できる1,000ドルのものから、専門性が求められる1,500万ドルのものまで幅がある

☑これまでに740件以上のコンテストが実施され、授与された賞金の総額は2億5,500万ドルで、参加した問題解決者は25万人

＊6　Boyd, Aaron, [2020], "GSA Seeks Support for Challenge Sites, Including Potential New Challenge X Lab.", https://www.nextgov.com/emerging-tech/2020/05/gsa-seeks-support-challenge-sites-including-potential-new-challenge-x-lab/165402/.
＊7　Liotard, Isabelle and Valérie Revest [2021], "Open innovation and prizes: is the European Commission really committed?," LEM Working Papers Series, Sant'Anna School of Advanced Studies.

を超えている

またChallenge.govを対象に公的機関によるオープンイノベーションの採用に影響を与える要因を分析した研究によると、何よりもオープンイノベーションコンテストの実施に必要な能力と知識を身に付けさせる施策が有効であったことが報告されている。これは企業を含めた他の組織でも適切なツールキットを準備してトレーニングを提供すれば、オープンイノベーションの採用を促進できる可能性を示唆している。[8]

次に英国政府では、米国の取り組みを参考にして、2012年にオープンイノベーションコンテストを設計・運用するNesta Challengesが設立された。主な目的はイノベーションファンディングシステムを活性化させることにある。2020年の報告では、40件のチャレンジプライズを実施し、英国・EU・カナダのさまざまなプログラムを支援してきたことが明らかにされている。[9]

最後にシンガポール政府の活動について紹介する。前述の2ヶ国とは異なり、企業がオープンイノベーションコンテストを行える「Open Innovation Platform」と、国内のさまざまな分野のイノベーションチャレンジを集める「Open Innovation Network」の運営に注力している。このように各国政府が置かれた状況によって取り組みに差があって興味深い。

第13章

＊8　Hameduddin, Taha, Sergio Fernandez and Mehmet Akif Demircioglu [2020], "Conditions for open innovation in public organizations: evidence from Challenge.gov," Asia Pacific Journal of Public Administration, 42(2), 111-131.
＊9　Usher, Olivier, Tris Dyson and Chris Gorst [2020], The Great Innovation Challenge - How challenge prizes can kick-start the British economy, Nesta Challenges.

Open Innovation Platform

https://www.imda.gov.sg/how-we-can-help/open-innovation-platform

Open Innovation Network

https://www.openinnovationnetwork.gov.sg/about/about-open-innovation-network

海外企業の
オープンイノベーション活動：
論文で精査された
知られざる事例

本章ではあまり目にする機会がないであろう海外企業のオープンイノベーション活動の事例を紹介する。いずれも学術雑誌に事例分析として掲載されたもので、実際のオープンイノベーション活動に役立つ学びが得られるものを選定した。

オープンイノベーションの海外事例分析

オープンイノベーションに関する論文にはさまざまな種類があるが、その中で事例分析と呼ばれるカテゴリーが存在している。これは企業など特定の組織に注目して、関係者へのインタビューや2次データの収集を通じて分析する手法である。研究者が定められた作法に基づいて行うことから信頼性も高く、企業のオープンイノベーション担当者による講演などと比べて、深く考察されている。

グローバルメーカーならP&GやPhilips、またいくつかの国内企業の事例がさまざまなところで繰り返し紹介されているのを見たことがあるのではないか。しかしながら上記の事例研究と比べて正確性に欠け、また企業のオープンイノベーション担当者の立場では、表面的な話を聞くだけでは活かしようがない。本章では国内であまり知られていない海外企業の事例を扱った論文を実務的に役立つ学びとともに紹介する。

①Swarovski：全社的な文化となったオープンイノベーション

Dąbrowskaはオーストリアのクリスタル・ガラスメーカーであるSwarovskiを対象として、成熟企業が両利きのメカニズムを使ってオープンイノベーションを採用し、硬直性に打ち勝つ方法を調査した研究を報告している。[*1]

＊1　Dąbrowska, Justyna, Henry Lopez-Vega and Paavo Ritala [2019], "Waking the sleeping beauty: Swarovski's open innovation journey," R&D Management, 49(5), 775-788.

第 **14** 章

☑イノベーション戦略は以下の3つの段階に整理できる

クローズドイノベーションフェイズ

・専有しているコア技術を社内で保護する

・コア事業の強みを掘り下げることに注力し、限られた社外パートナーとのみ協業する

オープンイノベーションネットワークフェイズ（2012年〜）

・限定された探索領域において、専門部門が知識の社外からの流入と社外への流出を増加させる

・知識の探索・活用が異なる部門で行われる

エコシステムエンゲージメントフェイズ（2017年〜）

・各重点部門が自身の判断で、知識の社外からの流入と社外への流出を活用する

・知識の探索・活用が社外の関係者とともに組織横断的に行われる

☑2017年にオープンイノベーションを全社員の文化的なマインドセットとして定義し、オープンイノベーション部門を解散した

☑文化の変革を推進するため、以下のアクションが行われた

・オープンイノベーション部門の元メンバーがファシリテーターの役割を担った

・オープンイノベーション活動を支援するためのインフラツールを導入した

・社内外での協業を奨励する報酬体系を設計した

　本書ではオープンイノベーションチームを協業パートナーの探索に特化した機能部門として組織に根付かせることを目標としてきた。Swarovskiは約5年間でこの段階を完了し、チームを解散

している。現状では難しいと思われるが、将来的に使いやすいテクノロジースカウティングツールが普及したり、手法や仲介業者の活用方法が標準化されたりすれば、専属のチームは必要なくなるのかもしれない。

②Haier：中国企業が初めて構築した オープンイノベーションプラットフォーム

　Gaoは世界最大級の白物家電メーカーであるHaierを対象として、境界を越えた知識を探索・統合するメカニズムを調査した研究を報告している。[*2]

☑**Haierはオープンイノベーションプラットフォーム（OIP）として ハイアールオープンパートナーシップエコシステム（HOPE）を 運用している。その特徴は以下の通り**
　・中国企業が初めて構築したOIPである
　・企業内プラットフォームとサードパーティープラットフォームの両方の特徴を備えている
　・2013〜2018年の間に300件の新たな製品を生み出してきた
　・知識の探索・統合の成功率は8%以上である

☑**HOPEがたどった経緯は以下の通り**
　・2009〜2012年（リソースエントランス）——外部リソースを導入する窓口としての役割を担っていた
　・2012〜2014年（リソースマッチングプラットフォーム）——ウェブサイト上で要件を公開してマッチングする場に変

＊2　Gao, Junguang, Hui He, Donghui Teng, Xinming Wan and Shiyu Zhao [2021], "Cross-border knowledge search and integration mechanism – a case study of Haier open partnership ecosystem (HOPE)," Chinese Management Studies, 15(2), 428-455.

わった

- ・2014〜2015年(インタラクティブプラットフォーム)——技術リソースが十分に蓄積されたことから、自前でプラットフォームを構築・運用する方向に舵を切った
- ・2015〜2016年(インタラクティブプラットフォーム)——リソースの需給のバランスが悪くなってきたため、Haierの外部にプラットフォームを開放した
- ・2016〜現在(リソースネットワークコミュニティー)——需要・共有・投資資金などを取り込むエコシステムの構築に注力している

☑ HOPEの内部顧客は洗濯機・冷蔵庫・冷凍庫・給湯器・キッチン用品・エアコンなどの製品ラインであり、外部顧客はさまざまな業界の企業で、知識の探索に加えてビジネスモデルのトレーニングなど多方面のサービスを提供している

☑ OIPによって、消費者の要求に対する包括的な理解・問題の適切な分解と技術リソースとのマッチング・効率的なリソースの統合が実現できる

WFGMモデルに基づいてオープンイノベーション活動を続けていくと、社外のシーズ情報が蓄積されていく。大企業でも自社で活用できるものは限られていることから、競合他社など外部の探索ニーズを取り入れていく方向性が考えられる。ニーズの数が増えれば増えるほど、ますますシーズが集まることが期待される。この段階では扱う情報量が増えるため、ニーズやシーズのデータベースを含めたシステム周りの構築が必要となる。

③Hisilicon：半導体チップ事業急成長の裏側に あったオープンイノベーション

JiangはHuawei傘下の半導体メーカーであるHisiliconを対象と して、オープンイノベーションと自主イノベーション(または自 主創新、1994年に中国で提唱された概念であり、企業が自身の リソースを統合して独立した知的財産権に基づく研究開発および イノベーション活動を展開することを指す)の関係を調査した研 究を報告している。[*3]

☑自主イノベーションには以下のモデルがある

- ・引き込み同化イノベーション——外部のリソースを導入・同 化し、これらに基づいてイノベーションを起こすことで、よ り低コスト・より短期間に能力を向上させる
- ・統合イノベーション——さまざまな関連する技術を統合し、 新製品を創出する
- ・オリジナルイノベーション——現実の問題からかけ離れた極 端に複雑なソリューションを、思いもよらないシンプルかつ 効果的な方法で問題解決に役立てる

☑発展段階ごとのイノベーション戦略の変遷は以下の通り

3G参入時代(2004~2013年)

- ・2004年におけるスイスのSTMicroelectronicsからの人材導 入や2006年における日本の3Gスタックの買収とイギリスの ARMからのライセンス導入など、アウトサイドイン型のオー プンイノベーションを実施した

*3　Jiang, Shimei, Jing Sun, Hui Cao, Meixuan Jin, Zhijuan Feng and Yiwen Qin [2023], "How to resolve the paradox of openness: a case study of Huawei Hisilicon (China)," Technology Analysis & Strategic Management, DOI: 10.1080/09537325.2023.2190420.

第14章

・2009年のスマートフォン用プロセッサチップK3V1の完全独自開発やその後2012年のARMの技術に基づいたK3V2の開発など、引き込み同化型の自主イノベーションを実施した
・K3V1の失敗から外部リソースへの過度な依存に気付き、親会社であるHuawei支援の元で積極的に研究開発に投資した

4G急成長時代（2013〜2019年）

・Qualcomm・村田製作所その他からの技術導入や人材交流エコシステムの構築、2018年に設立した上海Hisiliconによる技術／製品の外部販売などを通じたカップルド型のオープンイノベーションを実施した
・開発に成功したkrin 910チップやBalong 710チップと2019年のHuaweiのスマートフォンに向けた多機能SoCチップの独自開発、それに加えてプロセッサチップの改良や開発領域の拡大など、統合型の自主イノベーションを実施した
・2016〜2019年にかけて、Samsungグループとの間でグローバルな特許訴訟が生じた

5G先導時代（2019年〜現在）

・外部リソースの活用を可能にするオープンプラットフォームの設立やHarmony OSへの順次対応によるパートナーとのエコシステムの共有、世界中で60以上の基礎研究所の設立と多数の大学との産学連携によって、アウトサイドイン型のオープンイノベーションを実施している
・2019年の世界初の5Gチップの開発や2020年の5nmプロセッサであるKirin 9000の発売など、オリジナルな自主イノベーションを実施している
・ボトルネックとなっている技術におけるブレイクスルーを起こそうとしている

☑ **アウトサイドイン型のオープンイノベーションは、以下の2つに分類できる**

- 依存型：外部リソースへの依存度が高く、自主イノベーションを起こせない
- 支配型：十分な内部リソースをさらに外部リソースで補完することで、効率的に自主イノベーションを展開できる

☑ **オープン性のパラドックスは各段階によって問題点が異なる**

- 参入期は外部リソースへの過度な依存を解決する必要がある
- 急成長期は競合他社との知的財産権の紛争が起こる可能性がある
- 先導期はコアコンピタンスの構築が課題となる

☑ **段階ごとに適切なオープンイノベーションモデルを採用することで、自主イノベーションが促進される**

- 参入期には依存的なアウトサイドイン型オープンイノベーションによって引き込み同化型の自主イノベーションを行いつつ、内部リソースを強化していくとよい
- 急成長期にはカップルド型オープンイノベーションを通じた統合型の自主イノベーションを推進しながら、健全な知的財産権システムを構築していくとよい
- 先導期には支配的なアウトサイドイン型オープンイノベーションを活用しつつオリジナルな自主イノベーションを実施して、持続的なリーダーシップの獲得とコアコンピタンスの構築に取り組むとよい

　第2章(P.46)のコラムで簡単に紹介した事例であるが、オープンイノベーションの段階的な切り替えにより、既存事業の隣接領域にある新規事業を創出できる。最初に積極的な社外の技術や人

第 **14** 章

材の導入によって短期間で事業を立ち上げ、開発へのフィードバックや採用など、既存事業による支援を通じて育てていく。続いて社外の顧客向けの販売やラインナップの拡大に注力し、独り立ち後はエコシステムを構築していくという流れである。

④AirAsia：エフェクチュエーションの考え方をエコシステムに適用

　Radziwonは格安航空会社のAirAsiaを対象として、エフェクチュエーションの考え方をエコシステムに適用した研究を報告している。エフェクチュエーションは成功した起業家たちに共通する考え方を体系化した論理であるが、それを大企業のオープンイノベーション活動に適用した点が新しい。[4]

☑エフェクチュエーションでは意思決定に直面した際に以下の原則に従って行動する

- 「手中の鳥」——目標からの逆算ではなく、現時点でできることを元に考える
- 「許容可能な損失」——プロジェクトに対して期待されるリターンよりも、許容可能な損失に注意を払う
- 「パッチワークキルト」——競合分析などを行わず、すべての関係者を協業パートナー候補として認識する
- 「レモネード」——想定外のことを避けようとするのではな

＊4 Radziwon, Agnieszka, Marcel L.A.M. Bogers, Henry Chesbrough and Timo Minssen [2022], "Ecosystem effectuation: creating new value through open innovation during a pandemic," R&D Management, 52(2), 376-390.
参考書籍：Sarasvathy, Saras D. [2009], Effectuation: Elements of Entrepreneurial Expertise, Edward Elgar Pub. (加護野忠男・高瀬進・吉田満梨訳『エフェクチュエーション：市場創造の実効理論』碩学舎、2015年)

く、積極的に活用する

・「飛行中のパイロット」──技術的／社会的トレンドのような外部要因に囚われず、臨機応変に対応する

☑ 活動履歴は以下の通り

パンデミック以前

2018年に旅行技術会社を目指した変革を開始し、データを活用して航空分野の周期的な利益変動を相殺することを目的に、以下の行動を実施した

・データをより重要な資産として認識し、それらを扱う非航空事業を社外に別組織として立ち上げた

・既存顧客の旅行を越えた日々のニーズを満たすことを目標として設定した

・社外の知見や専門性を獲得するために、6,000万ドルのベンチャーキャピタルファンドを組成し、サンフランシスコのスタートアップアクセラレーターである500 Startupsと戦略的提携を締結。東南アジアへの進出・拡大を求めるスケーラブルなスタートアップ企業に投資することで、オーケストレーターとしてイノベーションエコシステムを構築し始めた

パンデミック以後

他の航空会社のように政府への支援を要請するロビー活動を活発に行ったり、破産手続きを開始したりすることなく、以下のプログラムを実施した

・Googleとの協業を通じて、パイロットや客室乗務員にコーディングやデータサイエンスの教育を実施した

・一時的に業務がなくなった社員を、エコシステム内の他のビジネスに振り分けた

・社内での日々の議論からニューノーマルに対応するアイデア

第14章

を集め、可能性を検証する多数のプロジェクトを開始した
・起業家・小規模事業者・農家に資金・販売チャネル・デジタ
ル教育などを提供することで、エコシステムを拡大した
☑AirAsiaはパンデミックにより航空事業が成り立たなくなった
際に、新規顧客を開拓する代わりにエコシステム内のリソース
を活用して既存顧客のニーズを満たすことを試みた
☑意思決定や行動を通じてエコシステムを生成・拡張していった
AirAsiaのアプローチは、不確実性が極めて高い状況に対する
エフェクチュエーションの理論で説明できる

　従来用いられてきた論理的・合理的と考えられてきた経営判断、
目的からの逆算で意思決定を行うコーゼーションに対して、
Sarasvathyが提唱したエフェクチュエーションは、環境が変化し
て未来が予測できない状況において現時点で利用可能な手段に
よって未来をデザインしていくという考え方である。企業におけ
るオープンイノベーション活動の立ち上げも同様に不確実性が高
いため、エフェクチュエーションの考え方が有効と思われる。

⑤AstraZeneca：多数の組織が関与するエコシステムにおける原則の重要性

　Wikhamnはイギリスの製薬メーカーであるAstraZenecaを対象
として、スウェーデンで運営しているAZ BioVentureHub（BVH）
の時系列変化を分析した研究を報告している。＊5

＊5　Wikhamn, Björn Remneland and Alexander Styhre [2023], "Open innovation ecosystem organizing from a process view: a longitudinal study in the making of an innovation hub," R&D Management, 53(1), 24-42.

☑BVHの進化のプロセスは以下の通り

フェイズ1：構築（2014/1〜2015/6）

・（目標）創薬ベンチャー企業のための価値の創出

・（協業パートナー）アーリーアダプターになりたい創薬ベンチャー企業

・（インフラ）ハブの構造とプロセスの構築

・（原則）原則の確立

フェイズ2：拡大 （2015/6〜2017/12）

・（目標）地域のライフサイエンスエコシステムの強化

・（協業パートナー）ハブの原則を受け入れられる創薬／診断／デバイス／デジタルデータ分野のベンチャー／大企業

・（インフラ）ハブ内の相互作用の促進による文化の生成

・（原則）原則の維持

フェイズ3：統合 （2018/1〜2020/12）

・（目標）ホスト企業による価値の獲得

・（協業パートナー）ハブとホスト企業の両方に興味がある創薬／診断／デバイス／デジタルデータ分野のベンチャー／大企業

・（インフラ）ハブとホスト企業間の構造とプロセスの統合

・（原則）原則の維持

各年度開始時に入居しているハブ企業の推移

・2015：8社

・2017：18社・1大学（卒業企業2社）

・2019：26社・1大学（卒業企業5社）

・2021：30社・1大学（卒業企業11社）

☑フェイズ1では、AstraZenecaのサンクコストになっているリソースは提供してよいが新たな負担は認められないという制限

第14章

のため、スウェーデンイノベーション庁・地方政府・ヨーテボリ市から5年間で3,900万スウェーデン・クローナ（約5億円）の資金を調達した

☑ フェイズ2においては、スウェーデンのライフサイエンス産業に貢献するために、EU以外の企業に積極的にアプローチした

☑ フェイズ3では、初期に調達した外部資金の提供機関が終了することに備えて、AstraZenecaにとっての価値を高めることを目的とした活動に取り組んだ

☑ 構築期と拡大期では価値創造を重視したインサイドアウト型の活動に注力し、統合期ではさらに価値獲得を目的としたアウトサイドイン型の活動を追加した

☑ インタビュー結果を踏まえると、BVHの進化のプロセスは考え抜かれた長期的な戦略に基づいて実施されたものではなく、創発的に展開されたものである

☑ 状況に応じてさまざまな領域が変化していったものの、オープン性・共有・信頼・実験というハブの原則自体は維持され続けている

　昨今では従来の1対1の協業だけでなく、多数の組織が関与するエコシステム的なものが増えてきている。このような取り組みは極端に不確実性が高いため、綿密に計画しても予測通りに推移することはまずないと思われる。よって本報告にあるように譲れない原則を定めたうえで、前述のAirAsiaと同じくエフェクチュエーションを採用して推進するとよいのではないだろうか。

⑥Janssen Pharmaceuticals：地域に結び付いたイノベーションエコシステムの開発

RobaczewskaはJohnson & Johnson傘下の医薬品部門である Janssen Pharmaceuticalsを対象として、イノベーションエコシステムと地域経済学を組み合わせた研究を報告している。[6]

☑ 一部の大企業はオープンイノベーション戦略を変更し、自社の研究開発拠点で周辺環境を巻き込んだイノベーションエコシステムを構築しようとしている

☑ Janssenは重点領域である神経変性疾患に関心を持った各種プレイヤーが集まるクラスターとして、本社のあるベルギーのベーアセを開発してきた

☑ Janssenが展開しているイノベーションエコシステムの主な要素は以下の通り

人材
公的機関や大学と協力しながら、世界中からトップレベルの人材を集めている

専門性
本社キャンパスを公開して、社外の専門家を社内のイノベーションチームと交流させている

インフラ
現代の創薬に求められる高価な設備を用いる技術を協業パートナーに提供している

---

[6] Robaczewska, Joanna, Wim Vanhaverbeke and Annika Lorenz [2019], "Applying open innovation strategies in the context of a regional innovation ecosystem: The case of Janssen Pharmaceuticals," Global Transitions, 1, 120-131.

資金提供

国際的な投資家のコミュニティーとともに、さまざまな資金提
供の仕組みを準備している

政策

フランドル政府などの公的機関と地域の方向性を議論する関係
を構築している

☑ **エコシステム活性化のために実施している活動は以下の通り**

・ハブ企業として、知識やリソースの流れを調整している

・科学の進歩を第一に考えて、研究者に十分な自由度を提供し
ている

・医薬品へのアクセス・妥当な薬価・患者の教育／支援などの
新しい戦略において、政府やNPOと協力している

・インキュベーションセンターを設立して、起業家とともにコ
アビジネスの周辺領域を探索している

・大学院向けプログラムの提供などを通じて、人材育成に取り
組んでいる

・政策立案者から、地域の成長につながる設備投資や優遇措置
を引き出している

　自社の研究開発拠点に周辺環境を巻き込む大掛かりなエコシス
テムを構築できる企業はごく一部に限られる。一方でポータルサ
イトを立ち上げ、参加者に個別のアカウントを発行して情報共有
や議論が行えるようにするなど、活動の拠点をウェブ上に置く方
法も考えられる。規模は小さくても、自社の重点分野において外
部の組織を巻き込んだコミュニティーを構築する取り組みは、選
択肢の1つとして検討していきたい。

⑦Google：オープンイノベーションコンテストを活用したコミュニティーの構築

　Liaoはインターネット企業のGoogleを対象として、オープンイノベーションコンテストの構造・組織的な実行・参加者の反応の間の相互の関係性を理解することを目的とした研究を報告している。[*7]

☑オープンイノベーションコンテストでは、参加者を競争させるだけでなく、コミュニティーの機能を加えることで協力を奨励できる

☑最近になってオープンイノベーションコンテストにおける協力の可能性が探索され始めた一方で、協力関係に基づいたOSS（Open Source Software）コミュニティーの研究は以前から行われてきた

☑Googleが2000年代後半に実施したAndroid Developers Challenge（ADC）の経緯は以下の通り
フェイズ1：ADC1 コンテスト開催期間（2007年11月〜2008年3月）
　・1,000万ドルという高額賞金のため、参加者が自身のアイデアを共有しようとしなかった
　・OpenIntentsと呼ばれるプロジェクトが立ち上がり、コードやコンポーネントが共有された

＊7　Liao, Tony and Kun Xu [2020], "A process approach to understanding multiple open source innovation contests – Assessing the contest structures, execution, and participant responses in the android developer challenges," Information and Organization, 30(2), 100300.

フェイズ2：ADC1 締め切りの延長とソフトウェア開発キット（SDK：Software Development Kit）のアップデート（2008年1月～2008年4月）

・Googleが締め切りの延長とSDKのアップデートを発表すると、OpenIntentsの立ち上げ人を含めた参加者から非難の声が上がった

フェイズ3: ADC1 評価期間（2008年4月～2008年8月）

・Googleが独自の判断で50人を選出したため、評価基準の曖昧さ・評価者の資質・フィードバックの欠如に対する反発が生じた

フェイズ4: ADC1 選出者への授与

・Googleが選出者宛てに送ったNDA下で新しいSDKを提供するメールを流出させると、多くの参加者の怒りを買った

フェイズ5: ADC2 コンテスト開催・評価・授与期間（2009年5月～2009年11月）

・2008年10月にAndroidフォンが発売されてアプリケーションの市場が生まれ、コンテスト外でアイデアを発表できるようになった

・ADC2では2009年8月1日以前にAndroid市場に出ていないアプリケーションだけが対象とされた

・賞金が200万ドルに下げられ、明確な基準とともに評価の中の40%が参加者の投票で決められた

・20人の選出者が発表された際には、ADC1と比べて大きな議論は生じなかった

☑得られた示唆は以下の通り

・開発哲学・インセンティブ・賞金の分配・時間軸のような要因によって、参加者の反応が異なってくる

・主催者の振る舞いと参加者の反応は相互に影響を及ぼしながら、時間とともに変わっていく

・大きなインセンティブによってアイデアの共有が抑制される場合でも、一定の協力関係が生まれてくる

・締め切りの延長は新規の参加者を呼び込めるものの、初期の参加者の反発が生じる可能性がある

・参加者に対して平等に接し、公正に評価しているように見えないと、主催者に対する信頼が失われる

　自社の重点分野でコミュニティーを構築していく際に、オープンイノベーションコンテストが役に立つ。能動的な探索ではたどり着けない研究者や組織を特定でき、呼びかけに応じてくれたということで、協力する意思があることも担保されている。本事例ではGoogleのような企業であっても試行錯誤しながらオープンイノベーション活動に取り組んでいることがわかって心強い。

⑧Unilever：バリューチェーンの さまざまな段階におけるオープンイノベーション

　Vanhaverbekeは英国の一般消費財メーカーであるUnileverを対象として、オープンビジネスモデルが生み出す利益に注目した研究を報告している。[*8]

☑Unileverは、協力的なマインドセット・相補的な資産・パートナーリングスキルを持ったパートナーを積極的に探索し、さま

＊8　Vanhaverbeke, Wim, Nadine Roijakkers, Oana-Maria Pop and Graham Cross [2018], "Developing Open Business Models in Existing and New Businesses in the FMCG Industry," Advance, DOI:10.31124/advance.7325069.

第14章

ざまな種類のオープンビジネスモデルを用いた協業を実施して
いる

☑ **Unileverが実施した取り組みと生み出された利益・課題は以下
の通り**

コアスキルの強化

・Comfort Fabric Softenerの開発において、ベンチャー企業の
　香気放出技術を活用した
・導入した技術によりコア製品の市場ポジションが強化された
・意図的に開示された自社の配合技術が転用されるリスクがあ
　る

エコシステムの設計

・Rama Cremefine Creamの開発において、複数のパッケージ
　ングサプライヤーに傷みやすいクリームを無菌状態で密閉す
　る技術を開発してもらった
・複数のパートナーと協業することで新製品の開発期間が短縮
　できた
・Unileverが協業パートナーをまとめあげる必要がある
・技術を独占したいUnileverと水平展開して利益を最大化した
　いサプライヤーの間に緊張が生じる

ブランドの再構築 - 研究開発コストの節約を目的とした新製品の共同開発

・Dove Therapy Hair Brushの開発において、自社のヘアケア
　製品に関する知見を元に、振動するヘアブラシを器具メー
　カーに開発・製造してもらった
・短期間かつ最小限のコストで製品ラインナップを広げられた
・製品の満足度が低い場合にDoveブランドが傷つく可能性が
　ある

ブランドの再構築 - 新しい販路の獲得を目的とした異分野のブランドとの協業

- Unileverがプレミアムな Starbucks Ice Cream を開発・製造し、Starbucks が販売した
- 短期間かつ最小限のコストで新しい販路が獲得できた
- ライセンス契約のためにコーヒー味のアイスクリーム事業の利益最大化が制限される
- コーヒー味のアイスクリームを自社ブランドで展開できない

共同開発・共同ブランディング

- P&Gが販売しているコーヒーメーカーの Home Café 用に Lipton's Tea Pods を共同開発し、共同ブランドで販売した
- 紅茶事業の新しい販路が開拓できた
- 連携するブランドのイメージや共同開発した製品の品質が低い場合にブランドが傷つく可能性がある

新規事業開発を目指したコラボレーション

- PepsiCoと合弁会社を作ってソフトドリンクである Lipton Ice Tea を共同開発し、飲料業界に進出した
- パートナーの相補的な資産とスキルを活用することで、短期間で新規事業を開発できた
- 親会社の目指す方向性が一致しない可能性がある
- 合弁会社の取締役会で力のバランスが取れていないと、投資の足並みがそろわない
- 親会社の都合によって合弁会社の自立性が損なわれる可能性がある
- 親会社の企業文化の相性が悪い可能性がある

☑**各々のオープンビジネスモデルは既存事業の強化から新規事業の開発まで戦略的な目的に違いがあり、R&D・マーケティング・**

第**14**章

サプライチェーンなど関わる部門の組み合わせやパートナーの
種類・協業の深さが異なっている

　一般消費財業界では、専門家でない人々でも製品開発に役立つ
アイデアが出せる・製品開発に必ずしも最先端の技術を必要とし
ていない・外部の技術に対する拒否反応が起きにくい・製品開発
のサイクルが短いことを背景として、オープンイノベーション活
動が盛んである。マーケティングを含めたバリューチェーンの広
範囲な領域での取り組みは、他業界の企業でも参考になるかもし
れない。

⑨Carlsberg：サステナビリティーの取り組みにおけるオープンイノベーション

　BogersはデンマークのビールメーカーであるCarlsbergを対象
として、ベンチャー企業との協業を通して生物分解性繊維を用い
たボトルを開発した事例を報告している。[9]

☑Carlsbergが取り組んだグリーンファイバーボトルプロジェクトのポイントは以下の通り

・醸造活動における環境フットプリントの約40%を占めるパッ
　ケージングを改善するため、生物分解性繊維を用いたボトル
　を開発したいと考えていた
・パッケージング事業に参入する意向はなかったため、直接投
　資の代わりにパッケージングに関する専門性や技術要件を提

＊9　Bogers, Marcel, Henry Chesbrough and Robert Strand [2020], "Sustainable Open Innovation to Address a Grand Challenge: Lessons from Carlsberg and the Green Fiber Bottle," British Food Journal, 122(5), 1505-1517.

供し、保証された顧客となることで、協業パートナーを見つけることにした

・本プロジェクトには、直接的なパートナーとしてのデンマークのベンチャー企業であるecoXpacに加えて、デンマーク工科大学やスウェーデンのパッケージング企業でecoXpacに出資しているBillerudKorsnaesも参加した

・Carlsbergが技術に興味を持ったことで、ecoXpacはデンマーク工科大学やデンマーク・イノベーション基金の支援が受けられた

・開発された技術の先買権を保有するに留め、ecoXpacとBillerudKorsnaesが権利を他社に提供できるようにした

・小規模ではあってもグリーンファイバーボトルを採用して成功事例を作ったことで、他社の取り組みの心理的な障壁を下げる効果があった

☑ **北欧の企業は各種のステークホルダーと協力する意識が高く、オープンイノベーションの土壌がある**

☑ **大企業によるオープンイノベーション活動は、SDGsを達成するうえで重要な役割を果たす**

さまざまな企業がSDGsを目標とした取り組みを進めているが、必要な技術を社内に持っておらず、かつその技術を所有・展開するつもりがない場合も多いのではないだろうか。本事例は補完的な製品や部品の開発にボトルネックがあるものの、そのための専門性を獲得するリスクやコストが高過ぎる場合に有効な方法として参考になる。また大企業は行動するだけで社会課題に対して大きく貢献できる可能性を示している。

第 **14** 章

⑩SAP：
クラウドソーシングによる社内人材の有効活用

　Pohlischはドイツのビジネス向けソフトウェア企業であるSAP
を対象として、社内クラウドソーシングを用いる目的・方法・運
用形態を調査した研究を報告している。[10]

☑ **社外を対象としたものと比べて、社内クラウドソーシングには**
  以下のメリットがある
　・取り扱いに注意が必要な情報が絡む業務に対応できる
　・特定分野の深い専門性が必要な業務に適している
　・知的財産権に関する懸念が小さい

☑ **最近になって社内の人々を効果的かつ効率的に活用するために、**
  社内クラウドソーシングを実施する企業が増えてきた

☑ **SAPはドイツで最も早くからイノベーションプロセスの中で社**
  内クラウドソーシングを活用し始めた企業であり、顧客に対し
  ても社内クラウドソーシング用ソフトウェアを提供している

☑ **観察された5つの社内クラウドソーシングプロジェクトは以下**
  の通り

The InnOvaTor Challenge
　・既存のもしくは参加者自身が見出した問題に対するアイデア
　　や解決策を募集する
　・AIやブロックチェーンのような最新の技術に関する社員のス
　　キル開発が目的である
　・2016年に1従業員によってドイツでパイロットプログラム

＊10 Pohlisch, Jakob [2020], "Internal Open Innovation - Lessons Learned from Internal Crowdsourcing at SAP," Sustainability, 12(10), 4245.

が実施され、2017年にはグローバルに展開された

One Billion Lives（1BL）

・社内ベンチャーのためのビジネスアイデアを募集する

・社会的にインパクトがあるサステナブルなアイデアの実現に
SAPの技術を用いることが目的である

・2016年にAdaire Fox-Martinのリーダーシップのもとでアジ
アパシフィック日本地区において開始された

Intrapreneurship with SAP.iO

・社内ベンチャーのためのビジネスアイデアを募集する

・既存のSAPのアプリケーションを使ってイノベーティブな製
品を生み出すことが目的である

・2014年にボトムアップで開始された

Internal Crowdsourcing of Human Resources（HR）

・メーリングリストを使って人員を募集する

・コンサルティング部門が特定のプロジェクトに必要なスキル
を持った社員を見つけることが目的である

・人事部門によって運用されている

SAP Blue

・アイデアのオーナーが開発者を募集する

・チームや場所を横断的に製品開発を組織化することが目的で
ある

・2015年にインドで開始された

☑**社内クラウドソーシングの成功確率を高める教訓は以下の通り**

・従業員が社内クラウドソーシングに時間を掛けられるように
する

・集まった提案の評価は社員ではなく専門家チームが行う

・ボトムアップで開始してトップダウンでサポートする

・社内クラウドソーシングを全社的なイノベーションプロセスに組み込む

・アイデアに当事者意識を持たせる

・社内クラウドソーシングのプロセスをオープンかつ透明にする

☑インタビューの対象となった従業員の多くは、自身が参加したもの以外の試みについて認識していなかった

☑SAPのすべてのプログラムにおいて参加者が増加傾向にあり、社員に受け入れられている

☑これまでの社内クラウドソーシングの試みを通じて、ベンチャー企業やポートフォリオに組み込まれた製品・サービスが生まれている

　第5章のコラム(P.94)で組織内オープンイノベーションコンテストの事例を紹介したが、SAPはそれに加えて社内の人材活用にもクラウドソーシングを活用している。一定の成功を収めているようであるが、プログラムの認知については課題があるように見受けられる。この種の取り組みを行う際には、目の前の実務で忙しい現場の担当者を引き付けて理解・賛同してもらえるかどうかによくよく注意を払うようにしたい。

⑪Samsung Electronics：スピンオフ企業を継続的に生み出す仕組み

　Shinは世界的電機メーカーである韓国のSamsung Electronicsを対象として、コーポレートベンチャービルダーであるCreative Lab (C-Lab)を立ち上げ、発展させてきた経緯を報告している。*11

☑社内のリソースを活用した新規事業開発の実行可能性を証明するには平均して8〜12年程度が必要であるにも関わらず、一貫した方針の下で企業が活動を実施する期間はそれよりも短いことが多い

☑大学や企業などの親組織からベンチャー企業を分離・独立させる取り組みをコーポレートスピンオフと呼び、研究志向の大学や公的研究機関を母体とするものと企業を母体とするものに分けられる

☑大学／公的研究機関由来のスピンオフ企業の主な競争優位性が技術であるのに対し、企業由来のスピンオフ企業は製品・市場・マーケティング・経営などのさまざまな強みを持つため、業績がよく、波及効果も大きい傾向にある

☑C-Labの経緯・特徴・成果は以下の通り

・創造的な組織文化の拡大と創造的なアイデアの発見を目的として、2012年12月に導入された

・提案されたアイデアが公開審査で採用されると、提案者は予算・スケジュール・チーム編成の裁量を与えられ、アイデアの事業化に1年間取り組める

・毎年35〜40プロジェクトが実施されており、2020年7月時点までに1,194名が297プロジェクトに取り組んだ

・立ち上げ時点で2020年までに研究開発職の1%（460名）以上が参加することを目指していたが、計画より3年早く達成された

・プロジェクトの結果として、163名の社員が参加する45のスピンオフ企業が切り出された

*11 Shin, Bo Young and Keun Tae Cho [2020], "The Evolutionary Model of Corporate Entrepreneurship: A Case Study of Samsung Creative-Lab," Sustainability, 12(21), 9042.

第
14
章

・スピンオフ企業に投資された金額は4,700万ドルで、全体の企業価値はスピンオフ時の3倍以上になった

・C-Labの開発は5つの段階に分けられる

2013年（運営体制の確保）

自律性が保証された独立組織を立ち上げた

2014年（オンラインプラットフォームの導入）

参加者が協力してアイデアを開発するプラットフォームのMOSAICを導入した

2015年（事業化チャネルの拡大）

既存事業から遠いプロジェクトに適応するスピンオフ制度を構築した

2016～2017年（運営の高度化）

スピンオフ企業を支援するチームやインキュベーションスペースを設置した

2018年以降（社外ベンチャリングプログラムの創出）

C-Labが蓄積してきたノウハウを提供して社外のベンチャー企業を支援するプログラムを開始した

・スピンオフ企業の事例は以下の通り

A社

・分野：新規ウェアラブルデバイス

・Kickstarterで147万ドルを調達した

B社

・分野：スマートシューズソリューション

・CES 2017で受賞した

・400のフィットネス／リハビリセンターと提携した

C社

・分野：粘着メモプリンター

・創立から1年間で770万ドルの売上高を達成した

・CES 2017で受賞した

・韓国の高成長企業として選定された

D社

・分野：ウェアラブル360度カメラ

・累積で1,900万ドルを調達した

・2020年7月時点で5,100万ドルの時価総額となった

・CES 2018〜2020で受賞した

・インタビューにおいてスピンオフ企業の代表者は、アイデアの実施・アイデアの検証・プロジェクトへの集中・夢の実現・事業化・市場や未来の開拓などさまざまな機会を得たことの重要性を強調していた

☑**スピンオフ制度は短期的には金銭的／非金銭的なパフォーマンスの向上に、中長期的には革新的な価値を実現するための土台となり得る**

　本書ではオープンイノベーション活動を立ち上げ、組織に根付かせる方法について議論してきたが、金銭的な成果が出るまでには少なくとも5年程度は欲しいところである。一方で本報告によると、新規事業開発の仕組みづくりの場合は実行可能性の証明により長い年月が掛かることが読み取れる。このようなイノベーション関係の取り組みは長期間にわたって活動を継続する必要があるため、成功の前提条件として明確な意思と強い覚悟が求められる。

第14章

⑫中国メーカー3社：圧倒的な試行回数

　最後に大規模なオープンイノベーション活動を展開している前述のHaierを含めた中国メーカー3社の事例を紹介する。

　まずはWangによるHaierを対象として、オープンイノベーション活動における外部パートナーのマネジメントを調査した研究である。2013～2016年までのものであるが、HOPEに関係する数字として以下が報告されている。[*12]

☑参加者：178万人

☑登録者：12万人

☑個人：10万8,500人

☑大学：230校

☑研究機関：417施設

☑サプライヤー：5,280社

☑その他企業：1,331社

☑累計提案数：5,800件

☑協業プロジェクト数：319件

　続いてYanによる世界最大の通信機器メーカーであるHuaweiを対象として、オープンイノベーションの効果的なガバナンスモデルを調査した研究である。[*13]

＊12 Wang Haijun and Sardar M. N. Islam [2017], "Construction of an open innovation network and its mechanism design for manufacturing enterprises:a resource-based perspective," Frontiers of Business Research in China, 11:3.
＊13 Yan, Xu and Minyi Huang [2022], "Leveraging university research within the context of open innovation: The case of Huawei," Telecommunications Policy, 46(2), 101956.

☑2018年末の時点では、全従業員の45%に相当する8万人以上が研究開発に携わっており、世界各地に28のイノベーションセンターを展開している

☑1999年には産学連携プロジェクトのための科学技術ファンドを立ち上げ、2010年にはHuaweiイノベーションリサーチプログラム（HIRP）に形を変えて持続的なシステムを構築してきた

☑2017年度は32ヶ国・地域の270近い大学と協業を実施しており、指数関数的に複雑さが増している

そしてWuによる総合家電メーカーであるXiaomiを対象として、オープンイノベーションコミュニティーが企業のイノベーションパフォーマンスに与える影響を調査した研究である。*14

☑オープンイノベーションコミュニティーの特徴は以下の通り
・2018年12月時点で7,753件の出願特許が公開されている
・2018年12月時点でコミュニティーに5,000万人以上が登録しており、1万人以上が日々活発に活動している

☑分析の対象とした期間（2017年9月1日から2018年12月31日）における月あたりの平均値は以下の通り
・特許出願数：235件
・ユーザー数：2,140人
・投稿数：2,737件
・コメント数：1万7,083件
・閲覧数：3,032万4,058件
・発売された製品数：28個

*14 Wu, Bing and Chunyu Gong [2019], "Impact of Open Innovation Communities on Enterprise Innovation Performance: A System Dynamics Perspective," Sustainability, 11(17), 4794.

第14章

3社の詳細は異なるが、いずれもけた違いに大きい数字で取り組みを推進している。必ずしも質より量というわけではないが、探索ニーズへの対応でも仲介サービスの活用でも、試行錯誤しながら一定数をこなすことで見えてくるものがあると思われる。よって短期間での成果を考えつつも、長期的な目線を持って粘り強く活動を継続していく意識を持っておきたい。

おわりに

理想の組織形態

「はじめに」ではオープンイノベーションチームを協業パートナーの探索に特化した機能部門として位置づけた。また第12章では現場の担当者が持っている課題に対してデジタル技術やリーンスタートアップで解決策を提案する役割を担う、デジタル推進チームと新規事業開発支援チームを紹介し、オープンイノベーションチームと同様の位置づけにあることを説明した。

　企業全体を考えたとき、理想の組織形態のひとつとして、さまざまなイノベーションの専門性を持ったチームが集まるサービス組織としてのイノベーション推進部を作ることが考えられる。次の図では自身がプレイヤーとしてプロジェクトを推進する新規事業開発チームもイノベーション推進部に含めているが、業務の進め方が大きく異なるため、別途切り出してもよいかもしれない。

図 **イノベーション活動を効率的に推進するための組織形態の例**

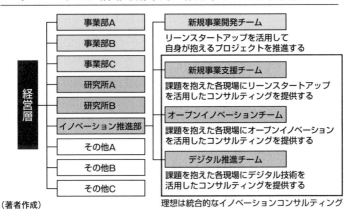

（著者作成）

233

このイノベーションコンサルティングチームに現時点では3つしか記載していないが、今後新たな専門性が必要となった場合には、チームが追加される可能性もある。例えばオープンソースソフトウェア（OSS）の活用を担うチームが考えられる。Chesbroughが行ったオープンソースの価値を経済的な観点から調査した研究によると、直近5年間でOSSの利用が拡大しており、専属のチームを設置する企業が出てきているようである。[*1]

　また各々の専門性を活かして、支援対象組織の担当者が抱える課題を解決するという業務の進め方だけでなく、新しい機能部門を立ち上げるという点でも類似性がある。初期段階では、協力的で重要度が高い対象を見つけ、アーリーアダプターとして集中的に支援する。そこで得られた成果を持ってその他の人々を啓蒙し、段階的に支援対象を広げていくという流れである。

　このような組織形態を採用したときに、鍵となるのはチーム間の協力体制である。現場の担当者がオープンイノベーションチームに相談したとして、「オープンイノベーションで解決できない課題は受けてもらえない」というのでは実に不便である。デジタル技術など他の専門性で解決できるなら、そのようにしてほしいと考えるのではないだろうか。よってイノベーション推進部としては統合的なコンサルティングを提供する形が望ましい。

＊1　Chesbrough, Henry [2023], Measuring the Economic Value of Open Source, The Linux Foundation.

目指すべき方向性

　一方で企業側の立場で考えた場合、前述の組織を実現するには難しい点もある。仮に高いレベルで統合的なコンサルティングを提供できる体制が整ったとすれば、組織の運営者／担当者は社内にサービスを提供するだけでは満足しない可能性がある。結果的に退社して専門サービス企業を立ち上げることになるかもしれない。よって多くの企業において、この種の組織を完全な形で実現することはないと思われる。

　そもそも各々に閉じた専門性を持った人材でさえ数が限られている状況では、夢のような話かもしれない。しかしながらイノベーションの創出を加速させるという意味では、中長期で目指すべき方向性として、参考になるのではないだろうか。いずれにせよ、各企業がオープンイノベーションを含めたさまざまな専門性に対しての向き合い方を模索していく必要がある。そのために本書の内容が少しでも役立てばうれしく思う。

　　　　　　　　　　　　　　　　　　　　　　　　羽山友治

“スイス発”オープンイノベーションの実践知

紺野 登

多摩大学大学院教授、一般社団法人Japan Innovation Network代表理事

　オープンイノベーションが提唱されてから四半世紀、すでにユーザー中心に産官学エコシステムを形成する「オープンイノベーション2.0」の流れも現れている。いまや企業経営に欠かせない活動であるが、必ずしもうまくいっているわけではない——本書は、そんな思いから書かれている。著者はスイスと日本の橋渡しをしてきた実践者で、豊富な知識・経験にもとづき執筆したスイスアーミーナイフのようなオープンイノベーションの実践ガイドである。

　一方で現在の日本は、「オープンイノベーション1.0」にすら追いついていないのが現実だ。オープンイノベーションと呼んでいても、従来の提携の焼き直しに過ぎないことも多い。そこには、単なる手法ではないという認識が必要と思われる。オープンイノベーションの「源流」のひとつは、1970〜80年代にかけての日本企業の進出で大打撃を受けた米国企業が、ケイレツ（クローズド・メンバーシップ）の研究から生み出した生き残り戦略（仮想的組織：オープンで一時的メンバーシップ）にある。したがって日本企業としては、伝統的なモノづくりや「日本的経営」の脱・学習、発想の転換から始める必要がある。

本書の想定読者は、オープンイノベーション担当者である。担当者に「目的は何か」と聞くと、「オープンイノベーション自体が目的」「自社の利益のため」という答えが返ってくることがある。しかし相手企業にとってはどうだろうか？　オープンイノベーションは漫然と行われるべきではない。イノベーション・マネジメントでは目的が何より重要だ。2019年、ISO（本部スイス）はイノベーション・マネジメントシステム（IMS）の国際規格「ISO56002:2019」を発行した。これらを適用しながらイノベーション戦略・システムをデザインし、オープンイノベーションの意味を明確にする、そのうえで個々の活動を進めていくことが望ましい。本書では、パートナーとの協働からアイデアコンテストの運営まで、成功の再現性を高めるために役立つ実践的な手法を幅広く紹介している。

　一方で単発のワークショップやピッチイベント、アイデアソン、それらに伴う事業開発支援など、本業「外」での「イノベーション劇場」の時代は過ぎ去りつつある。企業は独自の戦略にもとづいて、エコシステムを共創する段階に入っている。経営や組織自体をオープンイノベーションで再構築する事例も少なくない。本書には、こうした次のステップを探るうえでの事例が豊富で、参考となるだろう。

　スイスには、日本と共通するシステム的経営や実践重視の姿勢が見られる。スウォッチによる時計産業の復活以降、システム的土壌に起業家精神やオープンイノベーション政策が加わり、スイスはいまやイノベーション大国となった。日本にとっても、今後はますます重要なパートナーになっていくと思われる。

参考文献

　各章で挙げた書籍とそれ以外のものを含めて、特に参考となったものを紹介する。

オープンイノベーション

- Chesbrough, Henry W. [2003], Open Innovation: The New Imperative for Creating and Profiting from Technology, Harvard Business School Press; McGraw-Hill. (大前恵一郎訳『OPEN INNOVATION―ハーバード流イノベーション戦略のすべて (Harvard business school press)』産業能率大学出版部, 2004年)
- Chesbrough, Henry [2006], Open Business Models, Harvard Business School Press. (栗原潔訳『オープンビジネスモデル：知的競争時代のイノベーション (Harvard business school press)』翔泳社, 2007年)
- Chesbrough, Henry [2011], Open Services Innovation: Rethinking Your Business to Grow and Compete in a New Era, Jossey-Bass. (栗原潔訳『オープン・サービス・イノベーション：生活者視点から、成長と競争力のあるビジネスを創造する』CCCメディアハウス, 2012年)
- Chesbrough, Henry [2020], Open Innovation Results: Going Beyond the Hype and Getting Down to Business, Oxford University Press.
- Lindegaard, Stefan [2010], The Open Innovation Revolution: Essentials, Roadblocks, and Leadership Skills, CreateSpace Independent Publishing Platform.
- Lindegaard, Stefan [2011] Making Open Innovation Work, CreateSpace Independent Publishing Platform.
- Slowinski, Gene [2004], Reinventing Corporate Growth, Alliance Management Group Inc.; Gladstone.
- 米倉誠一郎・清水洋編 [2015],『オープン・イノベーションのマネジメント：高い経営成果を産む仕組みづくり』有斐閣

コーポレートベンチャリング

- Kannan, Shilpa and Mitchel Peterman [2022], Venture Studios Demystified: How venture studios turn the elusive art of entrepreneurship into repeatable success. (露久保由美子訳『みんなのスタートアップスタジオ：連続的に新規事業を生み出す「究極の仕掛け」』日経BP, 2023年)
- Romans, Andrew [2016], Masters of Corporate Venture Capital: Collective Wisdom from 50 VCs Best Practices for Corporate Venturing How to Access Startup Innovation & How to Get Funded, CreateSpace Independent Publishing Platform. (増島雅和・松本守祥監訳『CVC コーポレートベンチャーキャピタル：グローバルビジネスを勝ち抜く新たな経営戦略』ダイヤモンド社, 2017年)
- 新藤晴臣 [2021],『コーポレート・アントレプレナーシップ：日本企業による新事業創造』日本評論社
- 鈴木規文編 [2017],『コーポレートアクセラレーター：オープンイノベーションの最強手法』中央経済社

イノベーション

- Viki, Tendayi, Dan Toma and Esther Gons [2017], The Corporate Startup: How Established Companies Can Develop Successful Innovation Ecosystems, Vakmedianet Management B.V. (渡邊哲・田中陽介・荻谷澄人訳『イノベーションの攻略書：ビジネスモデルを創出する組織とスキルのつくり方』翔泳社, 2019年)
- 清水洋 [2022],『イノベーション』有斐閣
- 清水洋 [2022],『アントレプレナーシップ』有斐閣
- 西口尚宏・紺野登 [2018],『イノベーターになる：人と組織を「革新者」にする方法』日本経済新聞出版社

新規事業開発

- Blank, Steven Gary [2013], The Four Steps to the Epiphany (Fifth edition), K&S Ranch. (堤孝志・渡邊哲訳『新装版 アントレプレナーの教科書』翔泳社, 2016年)
- Christensen, Clayton M., Taddy Hall and Karen Dillon [2016], Competing Against Luck: The Story of Innovation and Customer Choice, Harper Business. (依田光江訳『ジョブ理論：イノベーションを予測可能にする消費のメカニズム』ハーバーコリンズ・ジャパン, 2017年)
- Ries, Eric [2011], The Lean Startup: How Today's Entrepreneurs Use Continuous Innovation to Create Radically Successful Businesses, Crown Currency. (井口耕二訳『リーン・スタートアップ』日経BP, 2012年)
- 麻生要一 [2019],『新規事業の実践論』NewsPicksパブリッシング
- 田所雅之 [2017],『起業の科学：スタートアップサイエンス』日経BP

［著者］

羽山 友治 （はやま・ともはる）

スイス・ビジネス・ハブ 投資促進部 イノベーション・アドバイザー 理学博士
2008年 チューリヒ大学 有機化学研究科 博士課程修了。複数の日系／外資系化学メーカーでの研究／製品開発に加えて、オープンイノベーション仲介業者における技術探索活動や一般消費財メーカーでのオープンイノベーション活動に従事。戦略策定者・現場担当者・仲介業者それぞれの立場からオープンイノベーション活動に携わった経験を持つ。NEDO SSAフェロー。

デザイン ● 大谷 昌稔（大谷デザイン事務所）、豊島 薫
編　集 ● 北島 幹雄

本書はASCII STARTUPのウェブ連載「オープンイノベーション入門：手引きと実践ガイド」に加筆修正を行ない、書き下ろしも加えて書籍化したものです。
https://ascii.jp/serialarticles/3001028/

オープンイノベーション担当者が最初に読む本
外部を活用して成果を生み出すための手引きと実践ガイド

2024 年 3 月 1 日　初版発行

著		羽山友治
編		ASCII STARTUP
発 行 者		加瀬典子
発　　行		株式会社角川アスキー総合研究所
		〒 113-0024　東京都文京区西片 1-17-8
		https://www.lab-kadokawa.com/
発　　売		株式会社ＫＡＤＯＫＡＷＡ
		〒 102-8177　東京都千代田区富士見 2-13-3
		https://www.kadokawa.co.jp/
印刷・製本		株式会社リーブルテック

角川アスキー総合研究所サポート事務局
【電話】0570-00-3030（土日祝日を除く 11 時～ 17 時）
【WEB】https://ascii.jp/support/
※製造不良品につきましては上記窓口にて承ります。
※記述・収録内容を超えるご質問にはお答えできませんので、ご了承ください。
※サポートは日本国内に限らせていただきます。

ISBN978-4-04-911210-8　C0034　　定価はカバーに表示してあります。
©2024 Tomoharu Hayama
©2024 KADOKAWA ASCII Research Laboratories, Inc. Printed in Japan